edition suhrkamp

Redaktion: Günther Busch

Peter Handke, 1942 in Griffen (Kärnten) geboren, lebt heute in der Bundesrepublik. Prosa: *Die Hornissen; Der Hausierer; Begrüßung des Aufsichtsrats; Die Angst des Tormanns beim Elfmeter; Chronik der laufenden Ereignisse* (Filmbuch); *Der kurze Brief zum langen Abschied.* Stücke: *Publikumsbeschimpfung; Weissagung; Selbstbezichtigung; Hilferufe; Kaspar; Das Mündel will Vormund sein; Quodlibet; Wind und Meer* (Hörspiele); *Der Ritt über den Bodensee.* Gedichte: *Die Innenwelt der Außenwelt der Innenwelt.* Reader: *Prosa, Gedichte, Theaterstücke, Hörspiel, Aufsätze.*

Peter Handkes neues Stück, obwohl ein Stück gegen das Theater, zumindest gegen seine herkömmlichen Formen, trägt dennoch höchst theatralische Züge. Es enthält eine Vielzahl minuziöser Beschreibungen, Beschreibungen von Vorgängen auch aus der Theaterwelt. – Das Stück wurde in der Inszenierung von Claus Peymann an der »Schaubühne am Halleschen Ufer« in Berlin uraufgeführt.

Peter Handke
Der Ritt über den Bodensee

Suhrkamp Verlag

edition suhrkamp 509
3. Auflage, 23.–37. Tausend 1972

Erstausgabe. Printed in Germany. Satz, in Linotype Garamond, Druck und Bindung bei Georg Wagner, Nördlingen. Gesamtausstattung Willy Fleckhaus.

Der Ritt über den Bodensee

Eine Frau mit weissem Kopftuch
Emil Jannings
Heinrich George
Elisabeth Bergner
Erich von Stroheim
Henny Porten
Alice und Ellen Kessler
Eine Puppe

Für die *Lektüre*, unter anderm, um Rollentitel wie »Schauspieler A«, »Schauspieler B«, »Schauspielerin C« usw. zu vermeiden, sind die Personen mit bekannten Schauspielernamen bezeichnet.
Für die *Aufführung* des Stücks sollten die Personen des Stücks nur mit dem jeweiligen Namen der Schauspieler benannt werden: die Personen sind zugleich ihre Darsteller.

»Träumt Ihr oder redet Ihr?«

Die Bühne ist groß. Sie zeigt einen Teil eines noch größeren Raums. Der Hintergrund wird durch die Hinterwand dieses Raums gebildet; sie ist mit braungrünen, in sich gemusterten Tapeten verkleidet. An der Hinterwand entlang führen von links und rechts zwei Arme einer Treppe herab, die sich in der Mitte der Wand zu einem einzigen breiten Arm treffen, welcher in einigen Stufen nach vorn in den Raum hinein führt; Personen, die auf der Treppe gehen, zeigen sich den Zuschauern also zuerst im Profil, dann von vorn. Unter den beiden Treppenarmen befinden sich links und rechts in der Wand, fast unsichtbar, zwei TAPETENTÜREN. Die Treppe wird begrenzt von einem fein geschwungenen, schmalen Geländer. Der Boden des Raums wird bedeckt durch einen unauffälligen Teppich, der zu der Farbe der Tapeten paßt. Die Treppenstufen herab führt ein weinroter Läufer.

Was von der Einrichtung des Raums sichtbar ist, ist zum großen Teil verhüllt mit Schonbezügen; die Schonbezüge sind SEHR WEISS. In der Mitte des Raums, freilich nicht genau in der Mitte, fast schon im Vordergrund der Bühne, steht ein großer dunkler Tisch, zum Teil mit einem Spitzentischtuch bedeckt; darauf Aschenbecher, eine Zigarrenkiste, eine Tee- oder Kaffeekanne unter einer bestickten Warmhaltehaube, eine längliche, ebenfalls bestickte Bestecktasche, zwei Leuchter, auf die Schutzüberzüge gestülpt sind. Rechts und links vom Tisch und hinter dem Tisch stehen drei Fauteuils, über die weiße Schonbezüge gebreitet sind; daneben und dahinter ein Sessel und ein Stuhl; über allem die weißen Schonbezüge. Vor einem der Fauteuils steht ein ebensohoher, ebenso gepolsterter Schemel, der als Fußauflage dienen kann; vor dem zweiten Fauteuil steht ein kleinerer Fußschemel; der dritte Fauteuil steht allein.

Rechts vom Tisch, schon einige Schritte entfernt, steht, unverhüllt, ein Getränkewagen, auf dem einige Flaschen stehen, deren Form den jeweiligen Inhalt anzeigt.

Links vom Tisch, einige Schritte entfernt, steht, ebenfalls unverhüllt, ein Zeitungstisch mit einigen dicken, zum Teil gebundenen Zeitschriften; obenauf ein Plattenspieler; eine Platte liegt darauf.

Wenn man weiter nach links und nach rechts schaut, hinter Zeitungstisch einerseits, Getränketisch andrerseits, sieht man zwei Sofas stehen, ebenfalls von weißen Schonbezügen verdeckt. Links vom linken Sofa steht, unverhüllt, eine braun gebeizte Kommode mit mehreren Fächern; darauf eine kleine Statue, über die ein weißer Papiersack gestülpt ist. Rechts am rechten Sofa lehnt eine Gitarre, die in einem ähnlich wie die Warmhaltehaube bestickten Sack steckt.

Unter den beiden Treppenarmen hängen an der Wand zwei Bilder; sie sind hinter weißen Tüchern versteckt.

Im Vordergrund der Bühne, ganz rechts, auf der Höhe des Tisches, steht eine spanische Wand, wie man sie sonst vor Betten aufstellt; sie ist klein, hat drei Flügel. Zwei ihrer Flügel sind ein wenig zusammengeschoben, der dritte Flügel schaut in den Zuschauerraum. Die Wand ist ebenfalls in sich gemustert, in der gleichen Farbe wie die Tapetenwand im Hintergrund.

Alle Gegenstände stehen so sehr auf ihrem Platz, daß es schwer vorstellbar ist, sie woanders stehen zu sehen; sie könnten es nicht einmal ertragen, auch nur ein bißchen verrückt zu werden. Alles ist wie eingerastet, nicht nur die Gegenstände, sondern auch die Abstände und Zwischenräume.

Das Licht ist ein Morgenlicht.

Als der Vorhang aufgegangen ist, hat er links und rechts an den Bühnenportalen zwei Portieren freigegeben, wie Portieren zu einem Chambre séparée.

Eine Frau, deren Haare unter ein weißes Kopftuch gebunden sind, bewegt sich mit einem großen Staubsauger schnell, aber nicht hastig zwischen den Gegenständen. Das Gesicht der Frau ist schwarz übermalt. Der Staubsauger, der mit der ersten Bewegung des aufgehenden Vorhangs eingeschaltet wurde, ist ziemlich gleichmäßig laut.

Am Tisch, in dem Fauteuil, die Beine auf dem dazugehörigen gepolsterten Schemel, sitzt mit geschlossenen Augen EMIL JANNINGS. Er ist ziemlich dick. Seine Stiefel stehen neben dem Schemel. Er trägt rote Seidensocken, eine schwarze Hose, ein helles Hemd, das am Kragen offen ist. Er sieht kostümiert aus, obwohl nur Anzeichen eines Kostüms zu sehen sind: ziemlich lange Rüschen an den Ärmeln des Seidenhemds, eine weinrote Seidenschärpe um den Bauch.

Er ist stark geschminkt, die Augenbrauen sind

nachgezogen. An der rechten Hand, deren Nägel schwarz lackiert sind, trägt er mehrere große Ringe.

Seit dem Aufgehen des Vorhangs hat er sich nicht bewegt, und die Frau ist auch schon fast fertig mit ihrer Arbeit. Während sie jetzt noch mit einer Hand den Staubsauger neben dem Zeitungstisch hin und her bewegt, schaltet sie nebenbei mit der andern Hand den Plattenspieler ein.

Man hört aber nichts als kleine Geräusche, der Staubsauger ist zu laut.

Sie geht mit ihm auf die hintere Wand zu, schaltet ihn jetzt ab, so daß die Musik hörbar wird: »The Garden Is Open« von T. Kupferberg.

Sie zieht die Schnur aus dem Stecker, wickelt sie auf den Apparat und stellt ihn hinter die Tapetentür.

Während nun die Platte weiterspielt, geht sie von Gegenstand zu Gegenstand und zieht die Schonbezüge ab; nur die Schutzbezüge über den Bildern und der Statue läßt sie dort.

Obwohl sie sich langsam bewegt, arbeitet sie schnell. Zuletzt, so daß man es kaum sieht, zieht sie mit einer einzigen leichten Bewegung den Schonbezug unter Emil Jannings weg und geht, während die Platte immer noch läuft, links ab.

Dann bewegt sich eine Zeitlang nichts auf der Bühne, nur die Platte dreht sich.

Der Plattenspieler schaltet sich aus, und nach einem Augenblick öffnet Emil Jannings langsam die Augen.

Mit brüchiger Stimme sagt er: »Wie gesagt —«

Er räuspert sich einmal und wiederholt mit fester Stimme:
»Wie gesagt.« Pause. »Ein schlimmer Moment.«

Jemand hinter dem Wandschirm mit brüchiger Stimme: »Warum?« Er räuspert sich zweimal, tritt beim zweiten Mal hinter dem Wandschirm hervor, wiederholt dann mit fester Stimme: »Warum?«

Es ist HEINRICH GEORGE, ziemlich dick, ebenfalls andeutungsweise kostümiert, mit bortenbesetzter Jacke und Schnürschuhen.

Er steht da.

»Schon vorbei«, sagt Emil Jannings, der den Kopf ein wenig abgewendet hat.

Heinrich George macht einen Schritt auf Emil Jannings zu und knickt ein.

»Der Fuß ist mir eingeschlafen«, sagt er, während er sich langsam wieder aufrichtet.

Emil Jannings greift nach der Zigarrenkiste. Er hebt sie auf, kann sie aber nicht halten, so daß sie zu Boden fällt.

»Und mir die Hand.«

Heinrich George geht vorsichtig auf Jannings zu, bleibt neben ihm stehen.

Beide werfen einander einen ersten Blick zu, schauen dann wieder weg.

George lehnt sich an die Tischkante, setzt sich jetzt darauf.

Die Zigarrenkiste liegt zwischen beiden auf dem Boden. Beide schauen sie an.

Jannings wendet den Kopf zu George.

George rutscht wieder vom Tisch.

Jannings zeigt auf die Zigarrenkiste.

George mißversteht die Geste und schaut, als ob es an der Zigarrenkiste etwas zu sehen gäbe.

Jannings geht auf das Versehen ein und zeigt nun, als wollte er wirklich auf etwas zeigen:

»Diesen blauen Himmel, den Sie da auf dem Etikett sehen, mein Lieber, den gibt es dort wirklich!«

George bückt sich nach der Zigarrenkiste, nimmt sie, schaut darauf:

»Sie haben recht!«

Er legt die Kiste auf den Boden zurück und richtet sich auf.

Jannings: »Sie stehen –«

George unterbricht ihn: »Ich kann mich auch setzen!«

Er setzt sich in den Fauteuil mit dem kleineren Fußschemel und macht es sich bequem:

»Was wollten Sie sagen?«

Jannings: »›Sie stehen gerade: darf ich Sie bitten, mir die Zigarrenkiste vom Boden zu reichen?‹!«

Pause.

George: »Sie haben geträumt?«

Jannings: »Als die Nächte besonders lang waren.«

George: »Sie müssen träumen.«

Jannings: »Einmal, an einem Winterabend, saß ich mit jemandem in einer Gaststätte. Es war Abend, wie gesagt, wir saßen am Fenster und unterhielten uns über eine Leiche. Es handelte sich um einen Selbstmörder, der in den Fluß gesprungen war. Draußen regnete es, wir hielten die Speisekarten in den Händen. ›Schauen Sie nicht nach rechts!‹ (George hat schnell nach links, dann nach rechts geschaut) rief plötzlich mein Gegenüber. Ich schaute nach rechts: aber da lag keine Leiche. Außerdem hatte mein Freund gemeint, ich sollte auf der Speisekarte nicht nach rechts schauen, weil dort die Preise stehen.« Pause. »Wie finden Sie die Geschichte?«

George: »Es war also nur eine Geschichte?«

Pause.

Jannings: »Wenn man es erzählt, kommt es einem selber so vor.«

George: »Wie eine Geschichte?«

Jannings nickt. Pause. Dann schüttelt er langsam den Kopf.

George: »Also doch nicht? Stimmt es also, was Sie mir erzählt haben?«

Jannings: »Ich wundere mich nur.«

Pause.

George: »Und wie ging es weiter?«

Jannings: »Wir haben flambierte Nieren bestellt.«

George: »Und bekommen?«

Jannings: »Natürlich.«

George: »Und die Rechnung verlangt und bekommen?«

Jannings: »Selbstverständlich.«

George: »Und die Mäntel verlangt und bekommen?«

Jannings: »Warum die Mäntel?«

George: »Weil es ein Winterabend war.«

Jannings erleichtert: »Natürlich.«

George: »Und dann?«

Jannings: »Sind wir nach Hause gegangen.«

Sie lachen beide erleichtert auf.

Pause.

George: »Nur eines verstehe ich nicht: welche Bedeutung hatte der Winterabend für die Geschichte? Meiner Ansicht nach war es überflüssig, ihn zu erwähnen.«

Jannings schließt die Augen und überlegt.

George: »Schlafen Sie?«

Jannings öffnet die Augen: »Ja, das war es! Sie fragten mich, ob ich träume, und ich erzählte Ihnen von dem langen Schlaf in den Winternächten, in denen ich gegen Morgen zu träumen anfange, und als Beispiel wollte ich Ihnen einen Traum erzählen, der an einem Winterabend spielen könnte.«

George: »Spielen könnte?«

Jannings: »Ich habe den Traum erfunden. Er war nur ein Beispiel, wie gesagt. Was einem durch den Kopf geht . . . Wie gesagt – eine Geschichte . . .«

George: »Aber die flambierten Nieren?«

Jannings: »Haben Sie jemals flambierte Nieren gegessen?«

George: »Nein. Jedenfalls nicht daß ich wüßte.«

Jannings: »Wenn Sie es nicht wissen, dann haben Sie sie auch nicht gegessen.«

George: »Nein.«

Jannings: »Sie widersprechen mir?«

George: »Ja. Das heißt: nein. Das heißt: ja, ich stimme Ihnen zu.«

Jannings: »Sie sprechen also, wenn Sie von flambierten Nieren sprechen, von etwas, das Sie nicht kennen?«

George: »Das wollte ich sagen.«

Jannings: »Und von etwas, das man nicht kennt, sollte man nicht sprechen, ist es nicht so?«

George: »Allerdings.«

Jannings macht eine entsprechende Handbewegung, wobei er die Handfläche nach oben kehrt.

George starrt darauf, und in der Meinung, er habe etwas daran entdeckt, läßt Jannings die Hand so stehen.

Die Hand sieht nun aus, als warte sie auf etwas, zum Beispiel auf die Zigarrenkiste. Sie wirkt auch nach dem, was gerade gesprochen worden ist, so sehr als eine Aufforderung, daß George sich bückt und Jannings die Kiste in die Hand legt.

Kurze Pause, als ob Jannings etwas anderes erwartet hätte.

Dann nimmt er mit der andern Hand die Kiste und stellt sie sich aufs Knie. Er schaut seine Hand an, die er noch immer ausgestreckt hält.

»Das wollte ich damit nicht sagen«, sagt Jannings, »mir schien es nur, als sei Ihnen an meiner Hand etwas aufgefallen.«

Er klappt mit der andern Hand die Kiste auf und hält sie George hin; der schaut hinein.

»Nehmen Sie!«

George nimmt nun schnell eine Zigarre heraus. Auch Jannings nimmt sich eine Zigarre.

George nimmt Jannings die Kiste ab und stellt sie auf den Tisch zurück.

Jeder gibt sich selber Feuer.

Beide lehnen sich zurück und rauchen.

George: »Ist Ihnen nicht auch etwas aufgefallen?«

Jannings: »Sprechen Sie.«

Pause.

Jannings: »So sprechen Sie, bitte.«

George: »Ist Ihnen nicht auch aufgefallen, wie lächerlich plötzlich alles wurde, als wir von den ›flambierten Nieren‹ sprachen? Nein, nicht plötzlich, vielmehr nach und nach, je öfter wir die flambierten Nieren erwähnten! Flambierte Nieren, flambierte Nieren, flambierte Nieren! Und ist Ihnen aufgefallen, warum die ›flambierten Nieren‹ allmählich alles so haarsträubend lächerlich machten?«

Pause.

Jannings: »Sprechen Sie.«

George: »Weil wir von etwas sprachen, das nicht auch gleichzeitig sichtbar war! Weil wir etwas erwähnten, das nicht auch gleichzeitig da war! Und wissen Sie, wie mir das aufgefallen ist?«

Pause.

Jannings: »Sprechen Sie!«

George: »Als Sie vor zwei Minuten jene Handbewegung machten –«

Jannings unterbricht ihn: »Zwei Minuten sind seitdem vergangen?«

George: »Es kann auch früher gewesen sein. Jedenfalls – was wollte ich sagen?«

Jannings: »Als ich früher jene Handbewegung machte –«

George: »Als Sie jene Handbewegung machten, fielen mir plötzlich die Ringe an Ihrer Hand auf, und ich dachte bei mir: Ah, Ringe! Sieh da, Ringe! Wahrhaftig: Ringe! Und dann sah ich die Ringe wieder, und als das, was ich dachte, und das, was ich sah, so wunderbar zusammentraf, war ich einen Augenblick lang so glücklich, daß ich nicht anders konnte, als Ihnen die Zigarrenkiste in die Hand zu legen. Und da erst fiel mir auf, wie lächerlich ich mir vorgekommen war, all die Zeit von flambierten Nieren zu reden! Ich war gar nicht mehr ich selber, die Haare sträubten sich mir im Nacken, während ich davon sprach! Und erst, als ich die Ringe sah, und: Ah, die Ringe! dachte und dann einen ZWEITEN Blick auf die Ringe warf, kam es mir vor, als sei ich wieder in mich selber eingerenkt worden!«

Jannings: »Und ich meinte, Sie reichten mir die Kiste freiwillig!«

George: »Verstehen Sie mich?«

Jannings: »Menschlich schon.«

George: »Schauen Sie sich um!«

Sie schauen im Raum umher.

George: »›Auto‹!«

Sie stocken ein wenig, schauen weiter im Raum umher.

George: »›Affenschaukel‹!«

Sie stocken, schauen weiter im Raum umher.

George: »›Bluthunde‹!«

Sie schauen im Raum umher, stocken.

George: »›Hungerödeme‹!«

Nur Jannings schaut im Raum umher, stockt.

George: »›Ausklinkknopf‹!«

Jannings schaut schnell zu George: »Sie haben recht, sprechen wir über meine Ringe.«

George: »Über die Ringe gibt es nichts mehr zu reden.«

Jannings schweigt.

George: »Sie sagen mir nichts mehr.«

Jannings: »Ich?«

George: »Die Ringe.«

Jannings: »Und?«

George: (gereizt) »›Und‹ was?«

Jannings: (gereizt) »›Und‹?!« Pause. Die Pause wird immer feindseliger. Beide rauchen. Als sie merken, daß sie zur gleichen Zeit an den Zigarren ziehen, brechen sie ab und halten den Atem an.

Als der eine den Rauch ausstoßen will, sieht er, daß auch der andre gerade den Rauch ausbläst, und stockt; erst dann läßt er den Rauch aus dem Mund.

Plötzlich sagt Jannings sehr freundlich:

»Und wenn es *Ihre* Ringe wären?«

George schaut ihn, plötzlich freundlich, an:

»Aber es sind *Ihre* Ringe!«

Pause. Sie bewegen sich kaum. Die Pause wird immer feindseliger.

George: »Aber es sind *Ihre* Ringe?«

Plötzlich zieht sich Jannings die Ringe vom Finger.

George versteht, beugt sich vor, spreizt die Hand.

Jannings legt die Ringe auf den Tisch.

George schiebt sie geläufig und wie selbstverständlich, fast ohne dabei hinzuschauen, über die Finger.

Er betrachtet die Hand.

»Wie für mich gemacht!« sagt er. Pause. »Als hätten sie immer schon mir gehört!«

Pause.

»Sie *sind* für mich gemacht!« Pause. »Und sie *haben* immer schon mir gehört!«

Er hält die Ringe ins Licht, daß sie FUNKELN. Er streichelt sie und berührt sie einzeln mit den Lippen.

Er spielt: zeigt mit der ringlosen Hand auf etwas, zeigt dann mit der beringten Hand darauf; legt sich die ringlose Hand aufs Herz, legt dann die beringte Hand darauf; winkt jemanden mit einem nackten Finger herbei, dann mit einem beringten; droht jemanden mit dem nackten Finger, dann mit dem beringten.

Er ist in einem Besitzrausch:

»Ich kann mir die Hand ohne Ringe schon gar nicht mehr vorstellen! Ich kann sie mich – ich kann sich mir – sich mich – mich sich – ich kann mir mich: ich kann mich mir ohne Ringe schon gar nicht mehr vorstellen! Können Sie sich mich ohne Ringe vorstellen?«

Jannings antwortet nicht.

George setzt zu einer Rede an:

»Teure Ringe! So wie ihr, die ihr rund seid, keinen Anfang und kein Ende kennt, so kennt auch –«

Er stockt und fängt noch einmal an:

»Und so wie ihr das Licht, das auf euch trifft, verwandelt und selber von dem Licht verwandelt werdet, so verwandelt auch –«

Er stockt.

Pause.

»Jedenfalls – ihr reizt mich zum Vergleichen. Seitdem ich euch besitze, bedeutet ihr etwas für mich.«

Pause. »Ringe an allen Fingern zu tragen — was bedeutet das? Reichtum? Früher Tod? Vorsicht beim Klettern auf Leitern? Schwierigkeiten im Beruf? Achtung, Lebensgefahr!?« Pause.

Jannings: »Ich habe noch nie von Ringen geträumt.«

George: »Weil Sie nie welche besaßen.«

Pause.

Jannings: »Im Gegenteil: weil ich welche besaß.«

Pause.

Jannings: »Und sie reizen mich auch nie zum Vergleichen.«

George: »Weil sie Ihnen nicht genügten.«

Pause.

Jannings: »Im Gegenteil: weil sie mir genügten.«

Pause.

George: »So wie es –«

Jannings: »Schon wieder ›so – wie‹?«

George: »Warten Sie ab!«

Er setzt noch einmal an:

»So wie es geborene Versager, geborene Störenfriede und geborene Verbrecher gibt –«

Jannings: »Wer sagt, daß es sie gibt?«

George: »Ich!«

Jannings: »Das beweist nichts.«

Pause.

George: »Haben Sie noch nie von einem ›geborenen Versager‹ reden hören?«

Jannings: »Schon oft.«

George: »Und haben Sie schon den Ausdruck ›geborener Störenfried‹ gehört?«

Jannings: »Allerdings.«

George: » Und den Ausdruck ›geborener Verbrecher‹?«

Jannings: »Freilich.«

George: »Aber den Ausdruck ›eine krabbelnde Schlange‹ – den haben Sie schon öfter gehört?«

Jannings: »Noch nie.«

George: »Und haben Sie jemals von einem ›feurigen Eskimo‹ gehört?«

Jannings: »Nicht daß ich wüßte.«

George: »Wenn Sie es nicht wissen, dann haben Sie auch nicht davon gehört. Aber den Ausdruck ›ein fliegendes Schiff‹ – den haben Sie gehört?«

Jannings: »Höchstens im Märchen.«

George: »Aber es *gibt* krabbelnde Schlangen?«

Jannings: »Selbstverständlich nicht.«

George: »Aber feurige Eskimos – die gibt es?«

Jannings: »Ich kann es mir nicht vorstellen.«

George: »Aber fliegende Schiffe gibt es?«

Jannings: »Höchstens im Traum.«

George: »In Wirklichkeit nicht?«

Jannings: »Nicht in Wirklichkeit.«

Pause.

George: »Aber geborene Versager?«

Jannings: »Die gibt es demnach.«

George: »Und geborene Störenfriede?«

Jannings: »Es gibt sie.«

George: »Und es gibt demnach geborene Verbrecher?«

Jannings: »Logisch.«

George: »Wie ich also damals sagen wollte –«

Jannings unterbricht ihn: »›Damals‹? So lang ist das schon her?«

George stockt.

Er wundert sich: »Ja, seltsam!«

Dann fährt er schnell fort: »So wie es also geborene Versager, geborene Störenfriede und geborene Verbrecher gibt, so gibt es auch (er spreizt die Hand) geborene Besitzer. Die meisten, sobald sie etwas haben, sind nicht mehr sie selber. Sie geraten aus dem Lot und werden lächerlich. Sich selber fremd, fangen sie zu schielen an. Bettnässer, die morgens neben ihrem Bett stehen. (Das Bett steht für ihren Besitz. Oder für ihre Scham?)« Kurze Verwirrung. Dann spricht er sofort weiter: »Ich dagegen bin ein geborener Besitzer: erst wenn ich etwas habe, werde ich ich selber –«

Jannings unterbricht ihn: »›Geborener Besitzer‹? Den Ausdruck habe ich noch nicht gehört.« Pause.

George (plötzlich): »›Das Leben ist ein Spiel‹ – das haben Sie doch wohl schon sagen hören?«

Jannings antwortet nicht. Er wartet.

George: »Und in einem Spiel gibt es Sieger und Verlierer, nicht wahr?«

Jannings antwortet nicht.

George: »Und die nichts haben können, das sind die Verlierer, und die alles haben können, das sind die Sieger, nicht wahr?«

Jannings antwortet nicht, beugt sich nur vor, öffnet den Mund, aber nicht zum Reden.

George: »Und kennen Sie den Ausdruck ›geborener Sieger‹?«

Schweigen.

Plötzlich fangen beide mit einem Aufschrei zu lachen an und klatschen einander heftig auf die Schenkel.

Noch während sie dabei sind, ERSCHEINT links oben auf der Treppe eine Frau.

Sie ist schön.

Sie trägt ein langes Kleid, in dem sie sich so bewegt, daß es eher sie zu tragen scheint.

Sie ist lautlos erschienen und einige Stufen heruntergegangen.

In der Mitte des Treppenarms bleibt sie stehen, legt die Hand auf die Brüstung und wendet ein wenig den Kopf: ELISABETH BERGNER.

Ihre Hände sind leer, ohne Tasche.

Sie betrachtet mit gesenkten Lidern die seltsame Szene unter sich: Jannings und George ziehen einander gerade an den Ohren und tätscheln einander die Wangen.

Sie bewegt sich einige Schritte weiter herunter und bleibt, jetzt mit dem Gesicht nach vorn, auf dem breiten mittleren Treppenabsatz stehen.

Mit gesenkten Lidern scheint sie die beiden unter sich zu betrachten: Jannings zeigt George gerade den flachen Handrücken; George antwortet, indem er mit Daumen und Zeigefinger einen Kreis bildet und sich die Hand so vors Gesicht hält; und Jannings erwidert das Zeichen, indem er beide Hände über den Kopf hält, das eine Handgelenk locker mit Daumen und Zeigefinger der andern Hand umklammert und die umklammerte Hand so um sich selber kreisen läßt, worauf sie beide wieder mit einem Aufschrei zu lachen beginnen und einander unter Ausrufen wie »Genau!« und »Erraten!« von neuem auf die Schenkel klopfen.

Dann wird einer der beiden langsam ruhig, während ihm der andre noch immer auf die Schenkel schlägt.

Inzwischen sind oben auf dem rechten Treppenarm zwei andere Personen erschienen, die gleich stehengeblieben sind und die seltsame Szene zu ihren Füßen betrachtet haben: ein Mann und eine Frau.

Wenn man weiß, daß sie es sind, kann man sie erkennen: ERICH VON STROHEIM und HENNY PORTEN.

Er ist stattlich, trägt einen roten Morgenrock über grauer Weste und Hose, als einzige Andeutung eines Kostüms.

Sie trägt ein Abendkleid mit einer samtenen Stola.

Als sie erschienen sind, hat Henny Porten gerade laut ihre Handtasche zugeklappt, und Stroheim hat zuerst ihr den Reißverschluß hinten am Kleid hinaufgezogen und dann sich den Kragenknopf geschlossen (»Wie gesagt –«).

Es wird aber jetzt unklar, wie sie zusammengehören; sie stehen zwei Stufen getrennt voneinander.

Das Geräusch der Handtasche hat auch den einen der beiden unten langsam still werden lassen.

»Schauen Sie sich nicht um!« sagt er zum andern.

Der andre schaut sich sofort um und sieht die drei Personen auf der Treppe stehen.

»Keine Leiche«, sagt er zum andern. »Sie können sich ruhig umschauen: alle leben.«

Der andre schaut sich um; dann reibt er sich heftig die Augen.

»Glauben Sie mir nicht?« fragt der erste.

»Ich war nur nicht auf ein solch helles Licht gefaßt«, antwortet er. »Ich wußte nicht, daß es schon so spät ist. Vor lauter Reden haben wir die Zeit vergessen!«

»Wir?« fragt der erste sofort.

»Ich«, antwortet der andre.

Pause.

»Ja, ich auch«, sagt der erste.

Henny Porten wiegt sich auf dem Treppenabsatz hin und her, spielt mit der Stola; sonst sind alle ziemlich still.

Henny Porten geht langsam weiter die Treppe hinunter, streift Stroheim mit der Stola, weicht dann übertrieben weit aus.

Stroheim überholt sie schnell, bleibt mit dem Rükken zu ihr stehen, als wollte er ihr den Weg versperren.

Henny Porten legt den Kragen seines Morgenrocks, der hinten hinaufstand, zurecht, bläst ihm dann leicht auf den Nacken, und er geht weiter.

Wo sich die beiden Treppenarme treffen, bleibt er neben Elisabeth Bergner stehen und beugt sich von hinten über ihren Hals.

Sie dreht sich mit gesenkten Wimpern langsam zu ihm, schlingt ihm die Arme um den Hals, lehnt den Kopf gegen seine Brust.

Henny Porten ist nähergekommen, berührt Elisabeth Bergner mit der Handtasche an der Hüfte.

Elisabeth Bergner wendet den Kopf hin, löst sich von Stroheim, nimmt Henny Porten mit langsamen Bewegungen die Handtasche ab, hängt sie sich selber traumwandlerisch über die Schulter, reicht dann ebenso Stroheim die Hand hin, die Handfläche nach oben. Er deutet einen Kuß darauf an, tritt dann einen Schritt zur Seite, so daß Henny Porten, die inzwischen hinter ihn getreten ist, »an die Reihe kommt« und sich über die Hand beugt, die Elisabeth Bergner inzwischen umgedreht hat, mit dem Rücken nach oben.

Henny Porten gibt dem Vorgang eine andre Bedeutung, indem sie die Hand nur anschaut, über die sie sich gebeugt hat.

Sie richtet sich auf, behält die Hand in der ihren und führt sie zu Stroheim hin, als wollte sie ihm darauf etwas zeigen.

Stroheim nickt, »als sehe er es auch«. Dieses Nikken wird aber im nachhinein zum Zeichen, daß er mit dem folgenden einverstanden war:

Henny Porten führt die Hand Elisabeth Bergners unter die Weste Stroheims und bewegt sie wie streichelnd dort umher.

Elisabeth Bergner zieht plötzlich die Hand zurück und läßt sie fallen.

Es ist aber Henny Porten, die kurz aufschreit.

Sie macht einen kleinen Knicks vor Elisabeth Bergner, deutet dann vor Stroheim eine Verbeugung an.

Dann tut sie einen Schritt zurück, zwinkert einem von beiden zu – man weiß nicht wem – und schickt sich an, die paar Stufen in den Raum hinabzugehen.

George und Jannings sind inzwischen die ZUSCHAUER gewesen.

Als aber Henny Porten anfängt, herunterzuschreiten, erwachen sie und fangen gemeinsam zu zählen an:

»Eins, zwei, drei . . .«

Henny Porten kommt langsam in den Raum herunter.

»Vier, fünf, sieben!«

Sie wollte gerade den Fuß auf die sechste Stufe setzen, hält jetzt inne, als sollte sie abstürzen, läuft dann die Stufen zurück hinauf.

Sie fängt von neuem an, herunterzuschreiten.

»Eins, zwei, drei, vier, fünf, sechs, und sieben!«

Es gab aber noch eine achte Stufe, und Henny Porten, die auf ebener Erde weitergehen wollte, stürzt taumelnd ab, strauchelt in den Raum hinein, ringt um Luft und läuft schnell wieder die Treppe hinauf, als sei sie zurückgestoßen worden.

Sie schmiegt sich an Stroheim.

»Mut! Nur Mut!« ruft man ihr von unten zu. Man pfeift hinauf, wie man einem Hund pfeift.

Stroheim legt den Arm um sie, stützt sie unter der Schulter, fängt an, behutsam mit ihr die Stufen herunterzugehen.

Sie hat die Augen geschlossen.

Die beiden unten haben wieder zu zählen angefangen:

»Eins, zwei, drei, vier, fünf, sechs, sieben, acht, neun!«

Bei »acht« waren Stroheim und Henny Porten

schon gut unten angekommen, aber bei »neun« steigen sie noch eine Stufe herunter, die es nicht mehr gibt.

Sie prallen heftig auf, gehen in die Knie, torkeln.

Henny Porten will zurücklaufen, doch Stroheim, der selber wankt, führt sie zu einem Sofa.

Er läßt sie hingleiten, aber mitten in der Bewegung klammert sie sich an ihn, tastet mit der Hand nach dem Sofa und läßt sich nach und nach nieder.

Sie lehnt sich allmählich zurück und sitzt da, mit fest geschlossenen Augen, bewegungslos, während Stroheim Schritt für Schritt auf den Tisch zugeht, an dem George und Jannings als Zuschauer sitzen.

Nach jeder Bewegung stockend, beide Hände vorher draufgestützt, setzt er sich in den noch freien Fauteuil ohne Fußschemel.

Er will sich zurücklehnen, stockt, sitzt still da, mit offenen Augen. Er blinzelt heftig, mit langen Pausen dazwischen.

Die Zuschauer schauen jetzt hinauf zu Elisabeth Bergner.

Mit gesenkten Wimpern steht sie da.

George und Jannings laufen auf Zehenspitzen zur Treppe und legen sich, einander den Finger auf den Mund haltend, parallel zu den Stufen am untersten Treppenabsatz nieder, der eine auf den Rücken, der andre auf den Bauch.

Elisabeth Bergner kommt die Treppe herunter und betritt über Bauch und Rücken der beiden den Boden.

Sie geht schon auf den Tisch zu.

Als George und Jannings aufstehen und einander

die Kleider abklopfen, hat sie sich schon auf dem Sessel niedergelassen, die Warmhaltehaube von der Teekanne genommen, sich Tee eingegossen und, ohne aufzuschauen, die Tasse an den Mund geführt; als hätte sie all das in einer einzigen Bewegung getan.

George und Jannings gehen verwirrt zum Tisch zurück.

George: »Noch einmal: ich biete Ihnen meinen Fauteuil an!«

Elisabeth Bergner antwortet nicht.

George: »Darf ich Ihnen meinen Fauteuil anbieten?«

Elisabeth Bergner, wie im Schlaf: »Auf den Straßen der unüberwindliche Dreck, die Fröste, Schneestürme, die großen Entfernungen . . .«

Jannings: »Was hat sie gesagt?«

George: »Nichts. Sie träumt.« Zu Elisabeth Bergner wie zu jemandem, der im Schlaf spricht: »Wer sind Sie?«

Elisabeth Bergner: »Ich bin nur in die Diele gegangen, um das Licht abzudrehen, und seitdem spurlos verschwunden.«

George: »Wer?«

Elisabeth Bergner: »Passen Sie auf, der Kerzenhalter fällt um!«

Jannings und George fahren herum, aber der Kerzenhalter steht bewegungslos auf dem Tisch.

Elisabeth Bergner öffnet schnell die Augen. Sie schreit sofort: »Wer sind Sie? Was wollen Sie? Wo bin ich?«

Sie hat sich schon während der Fragen wieder beruhigt und sie dann nur der Form halber zu Ende gesprochen.

Sie steht auf und setzt sich in einen der freien Fauteuils, springt aber sofort wieder auf:

»Er ist noch warm!«

Sie probiert den zweiten Fauteuil und steht gleich wieder auf: »Wie können Sie mir einen Fauteuil anbieten, der noch warm ist?«

Jannings: »Ich?«

Elisabeth Bergner: »Nein, er.«

Sie zeigt mit dem Kopf kurz auf George.

Henny Porten, die still hinten auf dem Sofa sitzt, hat die Augen geöffnet: »Welche Schneestürme?«

Erich von Stroheim hört auf zu blinzeln und verfolgt das Gespräch.

Elisabeth Bergner zu George: »Warum antworten Sie nicht?«

Zu Jannings: »Er antwortet nicht?«

Jannings STOTTERT.

Elisabeth Bergner: »Denken Sie nach, bevor Sie zu reden anfangen!« Pause.

Jannings, fließend: »Er glaubte vielleicht, Sie erwarteten auf Ihre Frage ohnedies keine Antwort.«

Elisabeth Bergner: »Kann er nicht für sich selber antworten?«

Jannings: »Ich spreche für ihn.«

Elisabeth Bergner: »Sind Sie denn mächtiger als er?«

Jannings: »Warum? Ich meine: warum fragen Sie?«

Elisabeth Bergner: »Weil Sie für ihn sprechen.«

Jannings stutzt. Er schaut George an, der zurückschaut.

Jannings stottert.

Pause.

Elisabeth Bergner, schnell: »Gefällt er Ihnen?«

Jannings nickt abwesend.

Elisabeth Bergner: »Natürlich: er muß Ihnen gefallen, als Ihr Freund!«

Jannings »Mächtiger? Ja ... Ja, warum nicht? (Zu George) Nicht wahr? Ich spreche für dich, also habe ich dir auch etwas zu sagen!? (George nickt spielerisch) Du bist nicht mein Freund! Wenn hier jemand etwas zu sagen hat, dann bin ich es!«

Pause.

Jannings und George fangen zu spielen an:

Jannings läßt sich auf den Fauteuil fallen und streckt die Füße aus: »Die Stiefel!«

George tritt schnell herzu, läßt sich auf ein Knie nieder und zieht ihm die Stiefel an.

Jannings: »Den Tee!«

George gießt flink Tee in eine Tasse, reicht sie ihm.

Jannings: »Den Zucker!«

George hält ihm die Zuckerdose hin.

Jannings nimmt ein Stück mit der Zange und läßt es elegant in die Tasse fallen.

»Einen Löffel!«

George REICHT ihm einen Löffel.

Beide schmunzeln in sich hinein, sind nah daran zu kichern.

Jannings rührt einmal zackig um: »Die Zeitung!«

George ist schon beim Zeitungstisch und zurück.

»Meine Brillen!«

George PLATZT heraus: »Aber Sie tragen keine Brillen!«

Jannings PRUSTET: »Den Senf! Die Haarbürste! Das . . .« Er stockt.

George hilft ihm: »Das Fotoalbum! Die Pinzette!«

Jannings, mit der Handbewegung eines Chirurgen: »Das Skalpell! Die Schere!«

George: »Dauerwellen — aber rasch, bitte!«

Jannings, mit den Gesten eines Automechanikers, blind hinter sich greifend: »Die Kombizange! Den Schraubenschlüssel! Den Lötkolben!«

George: »Heraus mit den Scheinen – aber etwas dalli, wenn ich bitten darf!«

Jannings: »Die Sonne!«

George stockt. »Warum die Sonne?«

Jannings, vom Spiel ermattet: »Sie ist aufgegangen.«

George, verwirrt: »Wieso? Ich meine, wieso sagen Sie das?«

Jannings fährt ihn an: »Das sind *meine Worte!*« Wie erschöpft: »Ich weiß es nicht.«

George, verwirrt, aber gleichgültig: »Es ändert doch nichts, daß Sie es sagen.«

Die letzten Worte hat er nur noch in sich hinein gesprochen. Im übrigen hatte sich wirklich das Morgenlicht auf der Bühne seit einiger Zeit ganz allmählich in ein übliches Bühnenlicht verwandelt.

Endlich hört man Erich von Stroheim sagen: »Falsch! Ganz falsch!«

Er steht rasch auf.

Elisabeth Bergner hat sich ihm zugewendet, während sie sich vorher wie enttäuscht von den andern abgewendet hatte.

Stroheim: »Ich werde Ihnen zeigen, wie man es macht!«

Pause.

Alle richten sich darauf ein, zuzuschauen.

Stroheim blickt langsam um sich, als wollte er jemanden aussuchen. George und Jannings ziehen die Köpfe ein, als der Blick an ihnen vorbeigeht. Schließlich betrachtet Stroheim Henny Porten.

Da er mit dem Rücken zu den Zuschauern steht, ist sein Blick nur daran zu erkennen, wie Henny Porten auf ihn antwortet.

Sie lehnt sich zuerst vor, sitzt aufgerichtet da.

Sie erhebt sich, wie eine Schlafwandlerin, geht auf Stroheim zu, bleibt vor ihm stehen.

Vor ihm stehend, will sie ihm den Morgenmantel von den Schultern nehmen, aber dann tritt sie hinter ihn und nimmt ihm den Mantel von hinten ab; sie scheint ihn selber dabei gar nicht zu berühren.

Sie geht zur Tapetentür, hinter der der Staubsauger steht, hängt den Mantel hinein, nimmt eine weinrote Hausjacke heraus, breitet sie, wieder hinter Stroheim, aus, und er schlüpft mit beiden Händen hinein, ohne daß die beiden einander wieder berührt haben.

George, als Zuschauer, HUSTET.

Jannings macht: »Pst!«

Henny Porten zieht Stroheim die Manschetten unter den Jackenärmeln hervor.

Pause.

Stroheim beschreibt nun mit der Hand einen Viertelkreis, zum Zeichen, daß Henny Porten sich vor ihn hinstellen soll.

Sie folgt der Bewegung sofort, achtet dabei darauf, ihm niemals den Rücken zuzukehren.

Sie bleibt vor ihm stehen.

Er winkt sie mit dem Zeigefinger heran.

Pause.

Jannings, im Eifer des Zuschauens, deutet mit einer ähnlichen Kreisbewegung der Hand auf die Zigarrenkiste.

George hat die Bewegung, ebenfalls im Eifer des Zuschauens, aus den Augenwinkeln bemerkt und gehorcht ihr blind, indem er Jannings die Kiste vom Tisch reicht, während er weiter den beiden zuschaut. Dann erst bemerkt er, was er getan hat, und ist wie erschrocken.

Er schaut zu Jannings hin.

Beide schauen einander wie erschrocken an und wenden sich sofort wieder dem Schauspiel zu.

Stroheim zieht Henny Porten an ihrer Stola näher an sich heran. Er tritt spielerisch ein wenig zur Seite, so daß auch Henny Porten ganz zu sehen ist.

Er faßt sie mit dem Zeigefinger unters Kinn und hebt ihr Gesicht.

Pause.

Er streichelt sie über den Hinterkopf.

Pause.

Er tätschelt ihr die Schulter.

Pause.

Er klopft ihr mit zwei Fingern auf die Wange.

Pause.

Er schnippt ihr gegen die Zähne.

Pause.

Er zieht mit dem Finger ihr unteres Augenlid herunter.

Pause.

Er gibt ihr einen Klaps auf den Hintern, daß sie in die Knie geht.

Pause.

George hustet.

»Pst!« macht Jannings.

Stroheim dreht Henny Porten herum, so daß sie mit dem Rücken zu ihm steht, und geht einen Schritt zurück.

Pause.

George hustet.

Jannings gibt ihm im Sitzen einen Tritt.

George, der am Tisch steht, ruckt nur ein wenig vornüber, aber Henny Porten, als wäre sie es gewesen, die getreten worden ist, fällt über die Bühne auf das Sofa zu und bleibt davor liegen.

Wirklich hatte Erich von Stroheim schon das Knie zum Tritt gehoben.

Pause.

Erschrocken schauen alle einander an.

Pause.

Elisabeth Bergner: »Es ist schön, zuzuschauen, wenn etwas sich einspielt! Es ist, wie wenn man bei einem Kauf zuschaut: Zug um Zug! Hier die Ware, hier das Geld! Hier das Geld, hier die Ware! Oder wie wenn man zwei Leuten beim Sprechen zuhört: erst die Frage, dann die Antwort! Jemand streckt die Hand aus, der andre schüttelt sie! Wie geht es Ihnen, mir geht es gut! Wie finden Sie ihn, ich finde ihn in Ordnung! Jemand steht auf, Sie gehen schon?! Jemand seufzt, und man streichelt ihn! Schön ist das!«

Stroheim läßt das Knie langsam sinken, dreht sich wie benommen um.

Henny Porten richtet sich am Sofa auf und läßt sich darauf nieder, das Gesicht halb weggekehrt.

George setzt sich verwirrt in den Fauteuil, Jannings betrachtet den Stiefel, mit dem er ihn getreten hat. Er zwickt sich ein paarmal ins Bein und in den Oberarm.

Auch George zwickt sich einmal heftig in den Arm.

Elisabeth Bergner SEUFZT.

Sie geht auf Stroheim zu, hält dann inne. Er kommt auf sie zu, bleibt dann stehen.

Sie nimmt seine Hand, legt sie sich auf die Brust.

Sie streichelt sich mit seiner Hand, bis er anfängt, sie zu streicheln.

Henny Porten steht plötzlich auf und läuft auf den Tisch zu.

George, der, von ihr aus gesehen, hinter dem Tisch sitzt, steht, wie ohne es zu wollen, auf.

Elisabeth Bergner und Stroheim lassen voneinander ab und schauen hin.

»Was wünschen Sie?« fragt George. Es ist ihm ENTSCHLÜPFT.

Henny Porten, wie eine Kundin: »Führen Sie Gaspistolen?«

George: »Gaspistolen? Sie meinen ›Gaspistolen‹?«

Henny Porten: »Sind Sie denn nicht der Verkäufer?«

George schweigt.

Henny Porten: »Sie saßen hinter dem Tisch und standen auf, als ich kam: also sind Sie doch wohl der Verkäufer?«

George schaut Jannings an; der bedeutet ihm, auf sie einzugehen.

George: »Der Verkäufer? Sie meinen, ich sei ›der Verkäufer‹? Ja, warum sollte ich nicht der Verkäufer sein, ich fragte Sie doch: ›Was wünschen Sie?‹ Was wünschen Sie? Eine Waffe vielleicht, für den Heimweg im Dunkeln?«

Henny Porten: »Eine Gaspistole.«

George zu Jannings, der wie der PATRON in seinem Fauteuil sitzt: »Führen wir Gaspistolen?«

Jannings zieht eine kleine Reitgerte aus seinem Stiefel und reicht sie George; der legt sie auf den Tisch.

Henny Porten betrachtet sie, ohne sie zu berühren.

Jannings, der abgewendet von ihr sitzt: »Diese Reitgerte tut es auch.«

George: »Eine Reitgerte wie diese tue es auch.«

Henny Porten: »Ich will *diese*.«

Jannings: »Ist sie der erste Kunde heute?«

George übersetzt das: »Ein Kunde wie Sie müsse behandelt werden wie der erste Kunde am Tag: sie gehört Ihnen!«

Henny Porten nimmt die Gerte: »Ist sie auch gut?«

George: »Sehr gut.«

Henny Porten: »Kann ich Ihnen glauben?

George: »Welchen Grund hätte ich, Ihnen etwas vorzumachen?«

Sie reicht ihm die Gerte zurück, und er schlägt damit in die Luft, daß es pfeift. Dann schlägt er mit der Gerte auf den Tisch, und es gibt einen Knall.

»Stellen Sie sich das Geräusch erst einmal im Dunkeln vor!« sagt er und ÜBERREICHT ihr die Gerte.

Sie wiederholt, was er gemacht hat. Es pfeift und knallt.

Sie schiebt, die Gerte noch in der Hand, das Kleid an der Seite bis zur Hüfte hinauf und zieht einen großen Schein Theatergeld aus dem Strumpfband.

Sie legt den Schein auf den Tisch, legt auch die Gerte wieder dazu.

George gibt sie ihr verwundert zurück, zählt dann aus der Hosentasche einige Münzen auf den Tisch.

Während er in anderen Taschen nach Scheinen sucht, nimmt Henny Porten das Kleingeld schon an sich; als er aber weitersucht, legt sie die Münzen wieder zurück.

Jannings steht auf und ZÜCKT ein paar Scheine, die er ihr einzeln in die Hand zählt.

Er schließt ihr die Finger einzeln über den Scheinen zur Faust; den letzten Finger – es ist der Zeigefinger – schließt sie, sehr langsam, selbst. Es sieht aus, als ob sie ihn zu sich heranwinkt. Sie schauen dabei einander in die Augen.

Keiner atmet.

Henny Porten schiebt die Scheine in ihr MIEDER, zieht die Hand dann langsam zurück, indem sie dabei deutlich zeigt, daß sie leer ist, berührt mit der Zunge die OBERLIPPE und schaut, leicht mit der Gerte WEDELND, die beiden Verkäufer so lange an, bis George von einem Bein auf das andere tritt und unanständig laut zu Stroheim hin ruft: »Gehören Sie zusammen?«

Stroheim und Henny Porten schauen einander flüchtig an, schauen dann weg. Ein zweiter Blick: sie schauen einander an WIE ZUM ERSTEN MAL.

Stroheim: »Sieht man uns das nicht an?«

Er tritt zu Henny Porten und faßt sie um die Hüfte, und sie hört auf, mit der Gerte zu wedeln.

George: »Jetzt schon.«

Henny Porten zu George und Jannings: »Und wie verhält es sich mit Ihnen? Gehören Sie zusammen?«

George und Jannings schauen einander an, schauen weg.

DER ZWEITE BLICK:

Sie schauen einander an wie zum ersten Mal.

George und Jannings gleichzeitig: »Ja, er gehört zu mir.«

Zueinander, George leiser, Jannings lauter: »Sie gehören zu mir.« – »Du gehörst zu mir.«

George: »Warum?«

Jannings: »Weil es schon immer so war.«

George: »Wer sagt das?«

Jannings: »Das sagt man allgemein.«

George: »Und warum sagen Sie mir das erst jetzt?«

Jannings: »Bis jetzt war es nicht nötig, dir das zu sagen.«

George: »Jetzt ist es also nötig?«

Jannings schaut seine KALTE ZIGARRE an: »Ja.«

Er deutet mit der Zigarre auf die Streichholzschachtel, die auf dem Fußschemel des Fauteuils liegt.

George bückt sich danach, dann stockt er und richtet sich auf.

Jannings: »Da siehst du, wie nötig es war.«

George reicht ihm darauf verwirrt die Streichhölzer, und Jannings schmaucht sich zufrieden die Zigarre an.

Er läßt das Streichholz fallen.

Jannings: »Du hast da etwas verloren.«

George schaut flüchtig auf das Streichholz, schaut weg.

Der zweite Blick: er hebt das Streichholz auf und legt es in den Aschenbecher.

Stroheim klatscht andeutungsweise Beifall, ohne daß man ihn klatschen hört: »Schon besser! Viel besser! Freilich, wenn ich Sie wäre –«

Henny Porten: »Wer hindert Sie daran?«

Stroheim: »Ja, wer hindert mich daran?«

Er atmet lang ein und stellt sich in eine Pose.

Jannings nimmt die Münzen vom Tisch und wirft sie ihm ins Gesicht.

Stroheim schüttelt sich und kommt zu sich. Er sagt zu Jannings und George, wie ihnen etwas vorsprechend: »Sie sind noch immer da?«

Jannings, wie nachsprechend, aber doppelt so laut: »Sie sind noch immer da?«

Stroheim: »Das ist es! Genau das! So hätte ich es gemacht!«

Pause.

Stroheim gibt Jannings ein Zeichen, weiterzureden. Er souffliert ihm: »Was wollen Sie hier?«

Jannings: »Was wollen Sie hier?«

Stroheim: »Wir möchten uns nur etwas umsehen!«

Jannings: »Das hier ist kein Rummelplatz!«

Stroheim: »Lassen Sie *ihn* doch für sich reden!«

Jannings nickt George zu und läßt sich auf dem Fauteuil nieder, mit dem Rücken zu den andern.

George: »Das hier ist Privatbesitz.« Jannings nickt. »Sie sind hier in keinem Wirtshaus. Sie haben hier nichts zu sagen. Unterhalten Sie sich bitte hier nur im Flüsterton. Nehmen Sie ihre Kopfbedeckung ab, wenn Sie schon hier eindringen. Haben Sie nicht die Filzpantoffeln gesehen, die am Eingang für Sie bereitstanden? Schauen Sie mich an: ich rede mit Ihnen. Sie sind hier nicht zu Hause, wo Sie die Beine auf den Tisch legen können. Wo sind wir, daß jeder hier hereinkommen kann? Schauen Sie, wo Sie hintreten, es sind Fußangeln und Selbstschüsse ausgelegt. Achtung, Rattengift. Nichts anrühren. Böse Hunde. Langer, strenger Winter. Hochwasser im Frühjahr, Schlamm in den Schränken, kein Kranich erwacht mehr mit schrillem Schrei auf den Wiesen, kein Maikäfer mehr surrt durch die Lindenbäume.« Pause. »Es ist schrecklich schmerzlich, zugleich lebendig und allein zu sein.« Pause.

Stroheim: »Er wird es nie lernen.«

Pause.

George: »›Es regnete noch nicht, aber weiter weg konnte man es schon regnen hören . . .‹«

Stroheim wendet sich mit Henny Porten ab und geht mit ihr umher, als wollte er die Einrichtung besichtigen.

Er will eine Zeitschrift herausnehmen, aber als er sich damit aufrichtet, erweist sich, daß sie angekettet ist wie ein Telefonbuch, und er stellt sie schnell wieder zurück.

Dann will Henny Porten die mit einem Papiersack verhüllte kleine Statue auf der Kommode in die Hand nehmen, aber es erweist sich, daß sie angeschraubt oder angeklebt ist.

Sie zieht den Papiersack von der Statue: es ist ein vielfarbig angemalter, aufrecht dasitzender Hund.

Sie berührt ihn, und er quietscht: er ist aus Gummi.

Stroheim kommt dazu und zieht an einer Lade der Kommode. Sie geht nicht auf, obwohl er es wieder und wieder versucht.

Schließlich versucht er es an einer anderen Lade, die ganz leicht aufgeht.

»Sehen Sie!« sagt Stroheim.

Sie lassen die Lade offenstehen und besichtigen weiter.

Er zieht den Schutzbezug von dem ersten Bild und läßt ihn fallen: eine Seelandschaft, mittlerer Wellengang, keine Schiffe, nur Meer und Himmel.

Fast gleichzeitig hat sie den Schutzbezug von dem zweiten Bild gezogen: ein Spiegel ohne besondere Merkmale.

Sie läßt sich auf dem zweiten, bisher unbenutzten Sofa nieder, während Stroheim vom Getränketisch mit einer Flasche und zwei Gläsern zurückkommt.

Er setzt sich zu ihr und dreht an dem Flaschenverschluß, kriegt ihn aber nicht auf.

Er bläst wie beiläufig in die Gläser, und eine Staubwolke fährt ihm ins Gesicht.

Er stellt Gläser und Flasche beiläufig zur Seite.

Er schaut seine Hände an, dreht eine Handfläche auf und zu.

Henny Porten hält seine Hand plötzlich fest: »Passen Sie auf!« Pause. Sie sieht seine Hand. »Ach, es ist nur Ihre Hand. Ich dachte, ein Tier!«

Stroheim: »Warum schauen Sie mich nicht an?«

Henny Porten: »Ich wage nicht, Sie genau anzuschauen, aus Angst, Sie bei etwas zu ertappen!« Sie schaut ihn an.

Pause.

Elisabeth Bergner ist inzwischen zum Spiegel gegangen und hat sich ruhig darin betrachtet.

Jannings und George, der noch immer steht und mit einem großen roten Tuch, das er sich aus der Tasche gezogen hat, das Besteck auf dem Tisch sorgfältig abwischt und es dann auf ein zweites rotes Tuch daneben legt (ab und zu versucht er es zu STELLEN), als wollte er es dort präsentieren, sind Zuschauer.

Henny Porten hat Stroheim die Hand aufs Knie gelegt und streichelt sich die eigene Hand mit der andern Hand.

Stroheim bewegt lautlos die Lippen, wobei ab und zu ein Wort deutlich wird: »Schneepflüge ... Hekken ... ein Hundebild?« Einmal drückt er die ineinander verflochtenen Finger beider Hände nach unten, daß es KNACKT.

Elisabeth Bergner kämmt sich, aber mit Bewegungen, die immer unsicherer werden. Sie weiß nicht, in welche Richtung sie den Kamm ziehen soll, während sie sich im Spiegel betrachtet.

Sie will mit einer kleinen Schere eine Haarsträhne abschneiden, die sie mit den Fingern vom Kopf weghält, aber sie schneidet immer wieder daneben, läßt die Haarsträhne schließlich fallen.

Sie will sich schminken, zieht die Augenbrauen nach, den Lidstrich, legt neues Wangenrot auf, pudert sich die Nase, zieht die Lippen nach. Aber all das tut sie immer unsicherer, mit einander entgegengesetzten Bewegungen, verwechselt die Richtungen, in die sie Striche ziehen will.

Sie ist durcheinander.

Sie will die Schminksachen wieder in die Tasche geben, aber sie fallen daneben.

Sie geht weg.

Sie kehrt um, geht in die andre Richtung, schaut dabei über die Schulter zurück, kehrt wieder um.

Sie ist ganz durcheinander, ihr Gesicht ist verzeichnet.

Sie geht in eine Richtung, in der niemand ist, und sagt:

»Helfen Sie mir!«, aber mit der falschen Gestik; sie tänzelt dabei.

Sie stößt gegen Sachen, bückt sich nach Sachen, die dann *hinter* ihr liegen.

Henny Porten ruft sie: »Machen Sie die Augen auf! Reden Sie! Kommen Sie zu sich!«, aber sie wendet den Kopf nicht nach ihr, sondern woandershin.

Henny Porten steht auf und nähert sich ihr vorsichtig von hinten.

Henny Porten: »Erschrecken Sie nicht!«

Elisabeth Bergner erschrickt, schaut hinauf zur Treppe. Sie versucht auf das Meeresbild zu zeigen, aber es gelingt ihr nicht. »Es hat mir zugezwinkert! Es zwinkert mir zu!«

Henny Porten beruhigt sie, indem sie sie streichelt und umherführt. Gemeinsam bücken sie sich nach den Münzen und andern Sachen auf dem Boden. Zuerst führt Henny Porten ihre Hand, dann greift sie selber nach den Sachen, zeigt auch wieder richtig danach.

Während sie das tun, reden sie miteinander, und je länger sie reden, desto sicherer und anmutiger werden sie.

Henny Porten: »Einmal, bei Regen, ging ich mit aufgespanntem Regenschirm über eine breite, dichtbefahrene Straße. Als ich endlich auf der anderen Seite angekommen war, ertappte ich mich dabei, wie ich den Regenschirm zusammenfaltete.«

Elisabeth Bergner: »Und als ich einmal – bitte, helfen Sie mir.« Sie ist noch unsicher.

Henny Porten umfaßt sie, wischt ihr mit der Stola das Gesicht ab:
»Als ich einmal, während ringsherum großer Lärm war, mich über einen Strauß Nelken beugte, konnte ich zunächst nichts riechen.«

Elisabeth Bergner: »Einmal, während ich ein Tischtuch über einen –« Das Wort fällt ihr nicht ein, und sie wird von neuem ängstlich. »Helfen Sie mir, bitte.«

Henny Porten spricht jetzt deutlich, um ihr ein Beispiel zu geben: »Einmal ging ich eine Treppe hinunter und hatte solche Lust, mich fallenzulassen, daß ich, als ich unten angekommen war, vor Angst zu laufen anfing.«

Elisabeth Bergner atmet auf.

»Einmal, während ich ein Tischtuch über einen Tisch breiten wollte, war ich in Gedanken (sie zeigt schön auf das Bild) am Ufer des Meeres und ertappte mich dabei, wie ich das Tischtuch schüttelte, als ob ich damit winken wollte.«

Sie umarmen einander, bewegen sich umher wie tanzend, während sie die Münzen und Schminksachen in die Handtasche stecken. Sie reden und bewegen sich immer beschwingter.

Henny Porten: »Wieso ›ertappt‹? Warum nicht!: ›Ich sah mich‹, ›Ich bemerkte‹?«

Elisabeth Bergner: »Ich sah mich! Ich bemerkte mich! Ich hörte mich!«

Sie stehen einander gegenüber.

Henny Porten: »Jemand schaut sich öfter um, während er geht: hat er ein schlechtes Gewissen?«

Elisabeth Bergner: »Nein, er schaut sich nur einfach öfter um!«

Henny Porten: »Jemand sitzt mit gesenktem Kopf da: er ist traurig?«

Elisabeth Bergner nimmt eine Mannequinpose für ihre Antwort ein: »Nein, er sitzt einfach nur mit gesenktem Kopf da!«

Henny Porten: »Jemand zuckt zusammen: schuldbewußt?«

Elisabeth Bergner antwortet mit einer anderen Mannequinpose: »Nein, er zuckt nur einfach zusammen!«

Henny Porten: »Zwei sitzen da, schauen einander nicht an und schweigen: sind sie böse aufeinander?«

Elisabeth Bergner führt ihren Satz mit einer anderen Pose vor: »Nein, sie sitzen nur einfach da, schauen einander nicht an und schweigen!«

Henny Porten: »Jemand schlägt auf den Tisch: um seinen Willen durchzusetzen?«

Elisabeth Bergner, mit einer anderen Mannequinpose: »Darf er nicht einmal nur einfach auf den Tisch schlagen?«

Sie laufen mit einem kleinen Aufschrei aufeinander zu, umarmen einander und trennen sich sofort wieder, indem sie sich gespannt betrachten.

Elisabeth Bergner zeigt auf George: »Er putzt das Besteck und legt es auf einem roten Tuch aus: will er es verkaufen?«

Henny Porten steht mit hängenden Armen da, schüttelt nur knapp den Kopf.

George, wie befreit, fängt an, das Geschirr beschwingt zu putzen.

Elisabeth Bergner zeigt auf Emil Jannings, in einem Atem:

»Er wendet uns den Rücken zu, sitzt im bequemsten Fauteuil: bedeutet das, daß er mächtiger ist als wir alle?«

Henny Porten schaut ihr in die Augen und schüttelt nur knapp den Kopf.

Emil Jannings streckt sich erlöst auf dem Fauteuil

aus, sichtlich vergnügt, seine Bedeutung verloren zu haben.

Elisabeth Bergner deutet mit dem Kopf auf Erich von Stroheim: »Er sitzt allein in der Ecke auf einem großen Sofa: will er uns damit bedeuten, daß wir uns zu ihm setzen sollen?«

Henny Porten lächelt nur noch nachsichtig wie über etwas, das sich als ein Traum herausgestellt hat.

Auch Erich von Stroheim vergißt sich, lächelt freundlich und entspannt sich sichtbar.

Elisabeth Bergner: »Und der Spiegel dort?«

Emil Jannings steht auf und SCHLENDERT auf die beiden zu: »Ist nur einfach ein Spiegel!«

Heinrich George schließt sich ihm an: »Vielleicht ist Fliegendreck drauf!«

Elisabeth Bergner: »Und warum läßt sich die Lade an der Kommode nicht herausziehen?«

Jannings stockt ganz wenig: »Sie klemmt!«

Elisabeth Bergner: »Und warum klemmt sie?«

Erich von Stroheim springt vom Sofa auf: »Laßt sie doch klemmen!«

George: »Ja, laßt sie doch klemmen!«

George und Stroheim tänzeln aufeinander zu, heben wie Tanzbären das Tanzbein: »Laßt sie doch klemmen!«

Jannings schließt sich ihnen an: »Laßt sie doch klemmen! Laßt sie doch klemmen!«

Alle drei umtanzen einander: »Laßt sie doch klemmen, die Lade! Die Lade, oh, laßt sie doch klemmen! Laßt sie, die Lade, laßt sie, oh, laßt sie doch klemmen!« Sie singen unisono: »Oh laßt die Lade doch klemmen, oh oh laßt die Lade doch klemmen!«

Sie stehen still und singen das gleiche nach der Melodie von »Whisky please let me alone« im Kanon, mit verteilten Stimmen, mit einem Bruch in der Mitte, nach einem »Oh«, worauf sie einander still anschauen, die Zeigefinger heben, worauf einer, eine Oktave tiefer, weitersingt: »... laßt die Lade doch klemmen!«, worauf nach und nach die zwei andern Stimmen, ebenfalls eine Oktave tiefer, einfallen und das Lied harmonisch zu Ende singen.

Alle schauen einander ernst und zärtlich an.

»Wir sind frei? Wir sind frei!«

Durcheinander: »Wir haben das alles nur geträumt! Haben wir das alles also nur geträumt? Was? Ich habe es schon vergessen! Und ich merke gerade, wie ich es vergesse! Ich stehe ganz still und beobachte mich, wie ich es nach und nach vergesse! Ich versuche mich zu erinnern, aber gerade indem ich mich zu erinnern versuche, merke ich, daß es immer mehr versinkt, es ist, als hätte ich etwas verschluckt, und mit jedem Versuch, es heraufzuholen, schlucke ich es tiefer hinunter! Es versinkt, und ihr taucht immer mehr auf! Wo seid ihr gewesen, ich habe euch gesucht?! Wer seid ihr? Kenne ich euch?«

Sie umarmen einander, neigen einander die Köpfe zu, verbergen die Köpfe ineinander, reiben sich aneinander, streicheln einander mit Köpfen und Händen.

Sie lösen sich voneinander und beschäftigen sich wie beschwingt mit den Gegenständen, fassen sie an, drücken sie an sich, lehnen sich spielerisch an sie, stemmen sie hoch, wiegen sie in den Armen, berühren zwei Sachen miteinander wie zu einer Umarmung, kneifen, tätscheln und streicheln sie, wischen Staub von ihnen, entfernen Haare von ihnen ...

Dabei seufzen, summen, kichern, lachen, trällern sie ...

Nur einmal werden sie für kurze Zeit unsicher und still: eine der Frauen steht abgewendet, an das Treppengeländer gelehnt, und ihre Schultern zucken.

Nach einer Schrecksekunde geht einer der Männer auf sie zu und dreht sie ängstlich um: sie lacht still, und alle lassen sich nach und nach wieder von ihr anstecken.

Einer der Männer geht einmal von einem Ende der Bühne den andern entgegen, die gerade auf ihn zukommen; er geht auf sie zu, als wollte er mit ihnen zusammenstoßen, macht aber in dem Moment, da man sie schon zusammenstoßen SIEHT, mit dem Körper eine Finte und weicht elegant aus. So macht er es den ganzen Weg über die Bühne.

Die anderen Männer ahmen ihn nach, gehen auf die Frauen zu und schlagen elegant vor ihnen einen Haken, bevor sie in die gleiche Richtung weitergehen; das gleiche tun sie alle drei, wenn sie Gegenständen ausweichen.

Sie freuen sich übereinander, und die Frauen lachen.

Einer schlägt ein Rad, der andre SPRINGT fröhlich über ein Hindernis, über das er auch einfach hätte drübersteigen können, der dritte führt eine elegante Geste mit dem Unterarm vor, indem er den Arm hebt, dabei schnell den Ellbogen knickt und wie auf wunderbare Weise den Ärmel seiner Jacke bis zum Ellbogen herunterrutschen läßt; das wiederholt er öfter, benützt schließlich die Geste, indem er sich spielerisch Feuer gibt.

Schließlich lassen sich alle nach und nach wie selbstverständlich vorn am Tisch nieder, die Frauen auf den Fauteuils mit den Fußstützen, Stroheim auf dem Fauteuil ohne Fußstütze, Jannings auf dem Sessel, George auf dem Stuhl.

Wie in Nachbildern machen sie noch Andeutungen ihrer Spielereien, sprechen noch nach, was sie einander vorgeredet haben: »Ich habe mich ganz vergessen? ›Ich‹? Wir! Wir haben uns vergessen!«

Schließlich beruhigen sie sich.

Nur Elisabeth Bergner spielt noch mit ihrer Handtasche und weiß nicht, wo sie sie lassen soll.

»Lassen Sie sie doch im Schoß liegen!« sagt Erich von Stroheim.

»Das wollte ich auch gerade sagen!« sagt Jannings, »Eine Sache im Schoß zu haben, ist das angenehmste.«

». . . im Schoß zu haben, ist am angenehmsten«, ist George gleichzeitig eingefallen.

Sie lachen.

»Im Schoß hat man für eine Sache das angenehmste Gefühl«, sagt George.

»Im Schoß hat man für eine Sache das angenehmste Gefühl«, ist Henny Porten ein wenig später eingefallen.

Alle lachen.

Elisabeth Bergner legt sich behutsam die Tasche in

den Schoß, rückt mit kleinen Bewegungen im Fauteuil den Körper zurecht.

Sie gibt einen kleinen Laut von sich.

Alle probieren es aus, wie es ist, Sachen im Schoß zu haben, sind zufrieden und stellen die Sachen an ihren Platz zurück.

Henny Porten zeigt Stroheim ihren nackten Arm: »Sehen Sie, ich habe eine Gänsehaut!«

Erich von Stroheim: »Sind Sie – Ist Ihnen –« Er stockt rechtzeitig: »Sie haben eben eine Gänsehaut, nicht wahr?«

Er lacht.

Alle lachen wie über eine böse Erinnerung.

Henny Porten: »Ja, ich habe einfach eine Gänsehaut.«

Pause.

Emil Jannings zieht etwas aus dem gepolsterten Sitz seines Sessels. Er hält es empor und zeigt es George. Dabei zieht er sich mit dem Zeigefinger der andern Hand wie unwillkürlich ein Auge in die Länge.

George übersieht das, beugt sich zu dem, was Jannings in der Hand hat.

Auch Stroheim wendet den Kopf zu Jannings. Spielerisch sagt er: »Sie haben da etwas. Was ist es? Doch wohl nichts Besonderes? Hoffentlich nichts Nennenswertes? Man braucht nicht darüber zu reden, nicht wahr?«

Auch Elisabeth Bergner und Henny Porten wenden andeutungsweise die Köpfe hin, schauen aber gleich wieder weg.

Emil Jannings: »Eine Stecknadel.«
Wie überrascht blicken alle hin.
Stroheim: »Eine Stecknadel? Sie meinen doch nicht ›die Stecknadel‹?«
Jannings: »Gerade die.«
Henny Porten: »Und es gibt sie wirklich? Es ist nicht nur eine Redensart?«
Jannings: »Überzeugen Sie sich selber.«
Er reicht die Nadel weiter an George, der sie wie selbstverständlich an Stroheim weitergibt, der sie Henny Porten überreicht.
Henny Porten: »Es trifft alles zu. Nicht einmal der ›rubinrote Kopf‹ fehlt. Es ist alles eingetroffen.«
Stroheim: »Haben Sie davon geträumt?«
Henny Porten: »Jemand redete davon im Traum.«
Sie reicht die Nadel an Elisabeth Bergner weiter: »Als ich die Nadel jetzt sah, fiel es mir wieder ein. Und ich glaubte, es sei auch nur so ein Wort!«
George: »Einmal erzählte mir jemand von einer Leiche mit einer stecknadelkopfgroßen Wunde am Hals.«
Pause.
George zu Jannings: »Haben *Sie* mir davon erzählt?«
Jannings: »Ich kann mich nicht erinnern. Aber wie Sie damit anfingen, kam mir die Geschichte auch bekannt vor.«
George: »Nein, es war ein Film.«
Pause.
George: »Es donnerte, und gleichzeitig Nebelschwaden auf der Dorfstraße . . .«

Elisabeth Bergner: »Soll ich sie fallenlassen?«

Alle werden still, bewegen sich nicht.

Sie läßt die Nadel fallen.

George verhindert den Effekt, indem er zu früh weiterspricht: »Kinder mit Mörtelklumpen auf den Augen –«

Er bricht ab, aber es ist schon zu spät. Man lächelt freilich nur, läßt die Nadel, wo sie ist.

Erich von Stroheim: »Ich habe Ihnen doch schon die Geschichte von dem See erzählt?«

Henny Porten: »Nein.«

Er schaut Elisabeth Bergner an: sie schüttelt zärtlich den Kopf.

Gleichzeitig sagt Jannings: »Nein.«

Stroheim: »Dann muß ich wohl nur daran gedacht haben.«

Henny Porten: »Hat es etwas mit der Stecknadel zu tun?«

Stroheim: »Ich saß am Morgen am Ufer eines Sees, und der See glitzerte. Plötzlich fiel mir auf: der See *glitzert*. Er glitzert ja wirklich.«

Pause.

Henny Porten: »Mir erging es einmal ähnlich, als mir jemand sagte, daß seine Taschen leer seien. ›Meine Taschen sind leer!‹ Ich glaubte ihm nicht, und er stülpte seine Taschen nach außen: sie waren wirklich leer! Unglaublich!«

George nimmt sich selber eine Zigarre aus der Zigarrenkiste, hält dann Jannings die Kiste hin, der sich eine Zigarre herausnimmt.

George reibt ein Streichholz an und reicht es brennend Jannings; dieser schmaucht die Zigarre an, bläst das noch brennende Streichholz aus.

George zündet sich ein anderes Streichholz an.

Stroheim nimmt das rote Tuch vom Tisch, springt damit auf, geht damit umher, schwenkt es, als wollte er es ihnen vorführen.

Man beugt sich vor, prüft.

Stroheim schaut triumphierend.

Man nickt, schüttelt verwundert den Kopf, lacht entzückt, klatscht sich lachend auf die Schenkel.

Ausrufe wie: »Ein rotes Tuch, tatsächlich!«, »Kein Zweifel!«, »Lupus in fabula«, »Wenn man vom Teufel spricht, kommt er!«, »Atlantis ist wieder aufgetaucht!«

Stroheim stellt sich vor die andern hin, als ZAUBERER.

Er stülpt sehr schnell alle seine Taschen nach außen – es handelt sich um sehr weite, helle Taschen – und stellt sich in Positur.

Henny Porten klatscht heftig in die Hände.

Stroheim, als Zauberer, zieht zauberisch schnell die Hausjacke aus, wendet sie und hat sie schon wieder angezogen.

»Es ist also wahr!« ruft Emil Jannings begeistert.

Stroheim zaubert die verkleinerte Nachbildung eines Nudelwalkers aus der Tasche, die jetzt die Stecktuchtasche ist.

»Also nicht nur in Witzen!« ruft Jannings.

Dabei fällt ihm die Zigarre aus dem Mund.

George reicht ihm die Zigarre, er putzt sich die Asche vom Knie, hält plötzlich inne, bemerkt, was er macht, putzt in einem freudigen Ritual weiter:

»›Asche auf dem Anzug‹!«, sagt er. »Wenn ich davon erzähle, wird es mir niemand glauben!«

Alle lachen.

Stroheim zaubert das Stecktuch heraus, ein Wimpel, in Farben, die für keinen bestimmten Staat stehen; er bläst flink auf den Wimpel, daß er FLATTERT.

Jannings: »Tatsächlich: er flattert! Der Wimpel flattert!«

Stroheim steckt die Sachen zu sich, wird zum SCHAUSPIELER: er geht zum Getränketisch, nimmt eine Flasche heraus, tätschelt die Flasche, stützt sich dann mit der einen Hand hinten am Tisch ab.

Jannings übersetzt das ruhig George: »Er tätschelt die Flasche und stützt sich mit der einen Hand hinten am Tisch ab.«

Stroheim stellt sich neben den Tisch, hat die Flasche in der Hand hängen und beginnt zu SCHIELEN.

Jannings zu George: »Er steht mit der Flasche in der Hand neben dem Tisch und schielt.«

Stroheim stellt die Flasche zurück und bewegt sich durch den Raum mit eingezogenen Schultern, macht um jeden Gegenstand einen übertrieben weiten Bogen, besichtigt ihn dabei aber eindringlich.

»Er zieht die Schulter ein, schaut die Sachen an, macht dabei einen Bogen um sie.«

Stroheim kehrt zum Tisch zurück.

Als LEHRER: »Und jetzt die Nutzanwendung: Jemand tätschelt einen Gegenstand oder lehnt sich an ihn?«

George: »Der Eigentümer!«

Stroheim: »Jemand bewegt sich mit eingezogenen

Schultern zwischen Sachen, macht einen Bogen um sie?«

George: »Der Gast!«

Stroheim: »Jemand, der schielt, hält einen Gegenstand in der Hand?«

George: »Der Dieb!«

Jannings: »Jemand tätschelt eine Sache, weil sie ihm gehört: weil jemand eine Sache tätschelt, gehört sie ihm?«

Stroheim: »Es sei denn, Sie widerlegen ihn.«

Jannings: »Jemand, mit einer Sache in der Hand, fängt zu schielen an: weil er sie gestohlen hat?«

Stroheim: »Es sei denn, er beweist seine Unschuld.«

Jannings: »Jemandem zieht es plötzlich (er macht es vor) Mund und Nasenlöcher zusammen: weil er Angst hat und ein Feigling ist?«

Stroheim: »Es sei denn, er beweist durch die Tat das Gegenteil.«

Jannings: »Wenn es aber nichts zu tun gibt?«

Stroheim: »Wovor hätte er sonst Angst?«

Jannings: »Das verstehe ich nicht.«

Stroheim: »Das, worauf Sie sitzen, ist ein Sessel, nicht wahr?«

Jannings: »Ja.«

Stroheim: »Oder ist es vielleicht ein Schwimmreifen?«

Jannings lacht über die Zumutung.

Stroheim: »Genauso lächerlich, wie es Ihnen vorkommt, wenn ich behaupte, daß Sie auf einem Schwimmreifen sitzen, wäre es demnach, zu behaupten, daß sich jemandem (er macht es nach) Mund und

Nasenlöcher zusammenziehen, weil er *Lust* hat, etwas zu tun.«

Pause.

Jannings: »Aber ein Sessel ist ein Sessel, und eine Miene (er macht sie) ist eine Miene. Wie kann man beides vergleichen?«

Stroheim: »Ich werde Ihnen vorführen, wie man beides vergleichen kann.«

Pause.

Man wartet.

Pause.

Stroheim, plötzlich: »Was haben Sie da im Mund?«

Jannings nimmt die Zigarre schnell heraus und drückt sie aus.

Stroheim lächelt: »Warum steht Ihr Kragenknopf offen?«

Jannings schließt behend den Kragenknopf.

Stroheim: »Sie sind so ernst?«

Jannings lacht SCHALLEND.

Pause.

Stille.

Pause.

Jannings, leise: »Sie haben was an Ihrer Nase.«

Stroheim will es schon abwischen, hält inne, leise: »Sie haben verstanden?« Pause.

Jannings, plötzlich laut: »Sie stehen gerade, reichen Sie mir doch die Flasche herüber!«

Stroheim spielt mit, reicht ihm die Flasche.

Jannings: »Nein, nicht die, die andre!« Er zeigt. »Nein, nicht die, um nichts darf man mehr bitten. Ja, die ist es!«

Er reicht ihm die Flasche aber sofort zurück: »Stellen Sie sie an ihren Platz!«

Stroheim, wie ein Lehrer, der einen Schüler spielt: »Warum?«

Jannings: »Weil Sie sie auch weggenommen haben!«

Stroheim nickt, stellt die Flasche zurück.

Jannings: »Nein, nicht dahin. An ihren Platz, sagte ich. Dahin, ja.«

Stroheim: »Warum gerade da?«

Jannings: »Weil sie auch vorhin da gestanden hat.«

Stroheim nickt.

Jannings: »Geben Sie mir noch eine Flasche!«

Stroheim: »Warum?«

Jannings: »Weil Sie mir schon einmal eine Flasche gegeben haben!«

Stroheim: »So ist es gut!« Er gibt ihm die Flasche.

Jannings: »Sie stehen?«

Stroheim will sich auf ein Sofa setzen.

Jannings: »Auf Ihren Platz!«

Stroheim setzt sich auf seinen Platz.

Spielerisch verteilt Jannings die folgenden Rollen: Er schlägt mit einem kleinen Löffel gegen den Hals der Flasche: George steht auf.

Jannings, ohne ihn anzuschauen: »Radschlagen!«

George steht still.

Stroheim souffliert ihm: »›Warum‹?«

George: »Warum?«

Jannings: »Du hast doch auch vorhin ein Rad geschlagen!«

Pause.

George schlägt ein Rad.

Jannings reicht ihm die Zeitschrift. George versteht diese Sprache noch nicht; er weiß nicht, was damit anfangen; er wirft einen Blick hinein.

Jannings: »Weiterreichen!«

George: »Warum?«

Jannings: »Hast du nicht vorhin die Stecknadel auch weitergereicht?«

Pause.

George reicht die Zeitschrift an Stroheim weiter; der gibt sie ihm zurück, als wären die Blätter durcheinander. George versteht: er ordnet die Blätter und reicht sie wieder an Stroheim; der legt sie auf den Tisch.

Jannings zieht das ZWEITE rote Tuch unter dem Besteck vom Tisch weg und läßt es fallen. Er zeigt mit dem Löffel darauf.

Pause.

Jannings: »Nun?«

George: »Warum?«

Jannings: »Hast du nicht gerade ein Rad geschlagen?«

George: »Aber wie kann man beides miteinander vergleichen?«

Jannings: »Für wen hast du wohl das Rad geschlagen?«

George: »Für Sie –« Er stockt.

Jannings: »›Natürlich‹ wolltest du sagen, nicht wahr?«

George: »Für Sie natürlich.«

Jannings: »Wenn du für mich ein Rad schlagen kannst, dann kannst du für mich auch ein Tuch aufheben.«

Pause.

George will sich nach dem Tuch bücken, stockt: »Wenn ich aber nicht will?«

Jannings: »Jetzt ist es zu spät. Die ganze Zeit hast du getan, was ich dir gesagt habe, und nie etwas gesagt. Du warst bis jetzt zufrieden, sonst hättest du etwas gesagt – warum solltest du also jetzt unzufrieden sein? Du hast die ganze Zeit nicht widersprochen – wie solltest du also jetzt widersprechen dürfen? Nein, was du jetzt sagst, gilt nicht mehr! Tu, was ich dir sage!«

Pause.

George hebt das Tuch auf, will es Jannings reichen, der ihm nicht einmal die Hand entgegenstreckt, stockt, läßt es, »als sei ihm die Hand eingeschlafen«, wieder fallen.

Pause.

Jannings, in vernünftigem Ton: »Schau dir die andern an!« Er wendet den Kopf einmal zu Stroheim, dann zu Henny Porten: Stroheim geht sofort mit der Gitarre, die er im Gehen aus der Hülle zieht, zu Elisabeth Bergner, setzt sich hinter sie auf die Tischkante und schlägt malerisch zwei leise Akkkorde; Henny Porten läßt sich auf Jannings Knie nieder und macht es sich dort bequem.

Jannings: »Wenn *sie* tun, was ich ihnen sage – warum dann nicht auch du?«

Pause.

George: »Aber warum tun sie es?«

Jannings: »Zuerst gehorch! Dann können wir ruhig darüber reden!«

Pause.

Georg reicht ihm das Tuch, das Jannings wiederum Henny Porten malerisch um die Schultern legt und vorn am Hals zusammenknotet.

Jannings, zu ihr: »Nun?«

Sie küßt ihn, ohne dabei den Kopf zu bewegen.

Jannings: »Jetzt frag!«

George: »Warum tun sie das? Warum hören sie auf Sie?«

Stroheim schlägt wieder einen malerischen Akkord.

Jannings: »Weil es ihnen natürlich ist. Sie haben es einmal getan, ohne daß ich etwas gesagt habe, im Halbschlaf oder weil es sich so ergab. Dann sagte ich es, und sie taten es wieder. Dann fragten sie mich: ›Darf ich das für Sie tun?‹, und ich sagte: ›Du sollst!‹ Und von da an taten sie es, ohne daß ich etwas sagen mußte. Es hatte sich eingebürgert. Ich könnte mit dem Fuß auf etwas zeigen, und sie würden springen und es holen! Alles Naturgesetze! Man hat angefangen, miteinander zu verkehren, und es hat sich eingespielt (Elisabeth Bergner, aufs Stichwort, wie im Schlaf sprechend: ›Wie geht es Ihnen, mir geht es gut‹; sie seufzt): eine Ordnung ergab sich, und um weiter miteinander verkehren zu können, machte man diese Ordnung ausdrücklich: man formulierte sie. Und als man sie formuliert hatte, mußte man sich daran halten, weil man sie schließlich formuliert hatte! Das ist natürlich, nicht wahr? Sprich! Nein, sag nichts, *ich* spreche jetzt. Rühr das nicht an, es gehört mir! (Er schiebt einen Leuchter weg) Wage nicht, ihn anzustarren, er ist mein Eigentum! Wovon habe ich gesprochen? Hilf mir! Nein, sag nichts. Von den Naturgesetzen! (Er nimmt einen Aschenbecher in die Hand; läßt ihn dann fallen) Wie dieser Aschenbecher der Schwerkraft gehorcht, so gehorchst du mir. Nun? (Er zeigt mit dem Fuß: George stellt den Aschenbecher auf den Tisch zurück) Siehst du? Glaubst du mir jetzt? Nein, antworte nicht, ich werde für dich antworten. Ja, das mit dem Aschenbecher und der Schwerkraft stimmt schon, könnte ich mir deine Antwort vorstellen. Weißt du, was der Unterschied zwischen uns beiden ist? (George lacht wie vor einem Witz) Nein, kein Witz: ich *kann* mir dich manchmal vorstellen, du *mußt* dir mich immer vorstellen! Warum lachst du nicht? Übrigens, da fällt mir wirklich ein Witz ein: wie heißt der Erfinder des Stuhls? Nun? Nichts? Ich werde dir helfen: Wie heißt der Erfinder des Zeppelin? (Pause. Er lacht auffordernd) Du lachst nicht. Auch gut! Aber ich werde es mir merken! Wo war ich stehengeblieben? Hatte ich dich nicht gebeten, mich daran zu erinnern, über was ich noch reden wollte? Habe ich dich nicht nicken sehen? Dann habe ich mir nur vorgestellt, dich nicken zu sehen! Einmal dachte ich an ein Gespräch mit jemandem, und ich erinnerte mich genau, wie er bei einer Antwort gelächelt hatte, und dann fiel mir ein, daß ich mit ihm ja am Telefon geredet hatte! Die Naturgesetze! Die Eisenbahnzüge! Das Meer! Er stand da, wo du jetzt stehst! (George tritt wie erschrocken zur Seite, Jannings lacht auf, läßt den Aschenbecher wieder fallen) Gern würde ich ihn für dich aufheben, aber ich bin selber an das gebunden, was ich gesagt habe, (zu Henny Porten) nicht wahr? (Sie nickt) Ich kann nicht reden und dann etwas anderes tun als was ich geredet habe. Unvorstellbar! Das wäre eine verkehrte Welt. Verstehst du das? (Henny Porten will sich rückwärts nach dem Aschenbecher strecken) Halt, das ist *seine* Sache! (George legt den Aschenbecher auf den Tisch, Stroheim berührt wie unabsichtlich die Gitarre: ein leiser Akkord) Du verstehst also. Wie die Eisenbahnzüge einem Fahrplan gehorchen müssen, damit es zu keiner Unordnung kommt, so mußt auch du mir gehorchen. Das mit dem Fahrplan und den Zügen stimmt schon, sagst du? Wage es, mir das zu sagen! Schweig! Antworte! (George will reden) Geschenkt! Wie eine Made, die über den Handteller kriecht – nein, das gehört woandershin. Das Meer! Woran denkst du gerade? Du kannst es nicht sagen? Dann denkst du an nichts! Einmal habe ich einige Zeit am Meer gelebt, und seit ich dort lebte, in welchen Kategorien, glaubst du, begann ich zu denken? In den Kategorien von Ebbe und Flut! Und so ist es allgemein: (wie ans Publikum) die Art, wie man denkt, wird bestimmt von Naturgesetzen! (Wieder an George) Seit ich zum Beispiel Waldspaziergänge mache, denke ich auch sonst beim Anblick von Stark und Schwach in den Gesetzen der Natur. Und seit ich es verstehe, Speisekarten zu lesen (er schiebt Henny Porten von den Knien, und sie läuft schnell zum

Sofa, schmiegt sich hinein, und er schaut zu ihr hin) – denke ich, ob ich will oder nicht, über Frauen in den Kategorien von Vorspeise und Hauptspeise. (Sie schaut ihn an, wobei man ihren Blick mehr SPÜRT als ihn sieht) Sie will es nicht anders – frag sie selbst! Sie wird es dir vorführen! (Er schnippt ihr zu, und sie sagt, wie auswendig gelernt, ein paar Fragen auf: ›Spreche ich dir zuviel? Habe ich dir zu spitze Knie? Bin ich dir zu schwer? Ist dir meine Nase zu groß? Bin ich dir zu vernünftig? Bin ich dir zu laut? Sind dir meine Brüste zu klein? Bin ich dir zu fett? Bin ich dir zu schnell? Bin ich dir zu mager? War ich gut?‹) Du siehst, sie selber sorgt für die Kategorien, in denen man von ihr denkt. (Zu Henny Porten:) He! (Sie kommt zurück und läßt sich auf seinen Knien nieder) Wenn *ich* gerufen wurde, sagte ich zunächst einmal nur: ›Ja!‹ Es konnte schließlich sein, daß man nur wissen wollte, ob ich noch da war. Wo waren wir? (George hält sich die Hand an den Hinterkopf, läßt sie wieder sinken) Halt! Mach diese Bewegung noch einmal! (George macht die Bewegung noch einmal) Sie erinnert mich an etwas! Langsamer! (George macht die Bewegung noch einmal) Der Hut! Kennst du das Lied ›Mein Hut, der hat drei Ecken‹? Es ist ein Volkslied. (Er sagt es ernst auf) ›Mein Hut, der hat drei Ecken/Drei Ecken hat mein Hut/Und hätt' er nicht drei Ecken/So wär' er nicht mein Hut‹: seitdem ich dieses Lied kenne, ist es mir nicht mehr möglich, mir dazu einen Hut vorzustellen! Ein dreieckiger Hut: eine unmögliche Vorstellung! Ein Hut: eine unmögliche, eine unerlaubte Vorstellung!

Einmal befahl ich (oder erlaubte ich?) einen Kuchen anzuschneiden. ›Wo?‹ wurde ich gefragt. Seitdem kann ich mir keinen Kuchen mehr vorstellen: man will in Gedanken einen Kreis zeichnen, aber man weiß nicht, wo man mit der Vorstellung anfangen soll. Schließlich gibts im Gehirn ein Geräusch, wie wenn beim Kochen ein Ei platzt. Still! Schweig! Ich kann mir denken, was du sagen willst! Der Kreis! Ich werde schwindlig, wenn ich mir einen vorstellen soll. Und wenn ich schwindlig werde, packt mich die Wut. Ein Beispiel: jemand fragt mich, wie spät ist es. Kannst du dir vorstellen, daß jemand keine Uhr hat? Ich kann es jedenfalls nicht. Schwindel und Zorn! Oder: jemand sieht ›verzweifelt‹ aus, fängt viele Arbeiten an, hört aber mit allen sofort wieder auf. Kannst du dir vorstellen, daß jemand noch ernsthaft verzweifelt ist? Schwindel! Schwindel und Zorn! Oder jemand schämt sich? Schwindel und Zorn, Schwindel und Zorn! Umgekehrt: jemand schämt sich für einen andern? Ich für dich? Sofort! Du kannst dir nicht vorstellen, daß ich mich für dich schäme? (Er stößt die Zigarrenkiste vom Tisch, daß die Zigarren zuhauf herausfallen, setzt Henny Porten in ihr Fauteuil, stellt sich vor George auf und gibt ihm eine Ohrfeige, indem er ihm wie bei einer Ohrfeige im Spiel beide Hände vor dem Gesicht zusammenschlägt, und setzt sich wieder) Wie Schokolade und Seife – ja, wie Schokolade, die neben einem Stück Seife liegt! Ich habe mich jedenfalls noch nie geschämt – außer eben jenes eine Mal, als ich zwei Gefühle, die ich für jemanden hatte, mit Schokolade und Seife verglich. Und dann noch einmal (Pause), und dann die Geschichte mit der Made auf dem Handteller (Pause), und dann einmal, als ich gefragt wurde: ›Wer ist das?‹, und antwortete: ›Die? Ja, sie ist sehr rührend, nicht?‹ (Pause), ja und dann noch einmal (er lacht schamvoll in Erinnerung), und dann, als ich einmal sagte: ›Anwesende natürlich ausgenommen!‹, und dann einmal, als ich sagen hörte ›Sie ist häßlich!‹ und antwortete: ›Aber sie hat schöne Augen!‹ (Pause), und dann noch das eine Mal, als ich das Streichholzheftchen auf den Verkaufstisch legte und der Verkäufer mich fragte: ›Sind *Sie* das?‹ (Pause; verwundert) Eigentlich habe ich mich doch schon oft geschämt. (Pause, zu Erich von Stroheim) Soll ich *ihn* dazu bringen, daß er sich schämt?«

Stroheim schlägt auf den Resonanzkörper der Gitarre und spreizt die Finger: »Aber daß nicht Sie dabei von *ihm* beschämt werden!«

Jannings wendet sich George zu: »Sieh her!«

Er nimmt nacheinander verschiedene Gegenstände vom Tisch oder aus der Tasche und hält sie vor George hin.

George starrt jeweils wie hilflos darauf.

Schließlich zeigt ihm Jannings einen Geldschein, WINKT damit, und George greift schnell danach.

Jannings lacht.

»Diese Sprache versteht er! Diese Sprache versteht er!«

Er lacht wieder. Pause. Beide senken den Kopf.

Jannings kratzt sich einmal heftig. Plötzlich zeigt er zornig auf die Zigarren: »Was ist das?«

George: »Zigarren.«

Jannings: »Und was soll das? Sammle sie auf!«

George bückt sich.

Jannings kichert: »Kannst du dir noch vorstellen, etwas anderes zu tun als was ich dir sage?«

George versucht es sich vorzustellen.

Er fängt schließlich auch zu kichern an, hört wieder auf und versucht es noch einmal.

Jannings: »Stell dir vor, du sitzt an meiner Stelle!«

George schaut zu ihm auf. Er fängt zu kichern an.

Jannings kichert auch, aber anders.

Er schaut um sich.

Auch Henny Porten kichert.

Stroheim lächelt.

Elisabeth Bergner ist abwesend.

George sammelt die Zigarren ein, legt sie sorgsam in die Kiste zurück.

Jannings beobachtet ihn und erzählt dabei eine Geschichte:

»Einmal – (zu Henny Porten: ›Was grinst du?‹ Henny Porten: ›Ich grinse nicht, ich lächle!‹ Jannings: ›Hör auf zu zappeln!‹ Henny Porten: ›Ich zapple nicht, ich setze mich zurecht!‹ Jannings: ›Maulhalten!‹ Henny Porten: ›Ich habe kein Maul!‹ Jannings hat sich schon wieder seiner Geschichte zugewendet) hatte ich einen schlechten Tag, du weißt ja, wie das ist (Georg nickt): am Kaffee verbrannte ich mir die Zunge; wie ich das Schuhband knüpfe, habe ich plötzlich zwei Stücke in der Hand, du weißt ja, wie das ist (George nickt); ebenso plötzlich – warum ›ebenso plötzlich‹? Egal! Jedenfalls, wie ich mir die Sachen aufschreibe, die ich mir vornehmen will, bricht mir plötzlich der Bleistift ab. Ich suche einen andern Stift – nein, nicht, was du denkst: er schreibt, aber ich merke auf einmal, daß ich über Nacht einen Buchstaben anders schreibe, mit einem Schnörkel, wo ich nie im Leben einen Schnörkel gemacht habe! Du weißt ja, wie das ist. (George nickt, aber erst, als Jannings ihn angeschaut hat) Damit nicht genug, sehe ich plötzlich vor mir eine Frau rasend auf Eierschalen herumtrampeln. Ich reiße sie zurück, an den Haaren, du weißt ja, wie das ist. Dabei stellt sich heraus, daß sie die Schalen absichtlich zerkleinert, für die Vögel. Benommen gehe ich weiter und erblicke einen andern Verrückten. Er steht auf einem Grundstück und rennt die ganze Zeit hin und her, und um ihn hat sich schon ein Kreis von Leuten gebildet. Dann stellt sich heraus, daß es gar kein Verrückter ist, sondern der Besitzer des Grundstücks, der die Leute davon abhalten will, seinen Grund zu betreten. Noch benommener gehe ich weiter und bin in Gedanken bei einer Gans, die ich gerade tranchiere, äußerst bedacht, du weißt ja, wie ich bin, keine Fettflecken auf meinen Anzug abzukriegen, als mich jemand von hinten am Arm packt. Trotz, oder gerade *wegen* meiner Benommenheit – (er schmunzelt: ›Immer wenn ich TROTZ sage, muß ich ODER GERADE WEGEN dazusagen!‹) schnellte ich herum und gab diesem Jemand eine Ohrfeige. Die Hand ist mir ausgerutscht, du weißt ja, wie das ist: ich glaubte nämlich, jemand mit fettigen Fingern griffe mich an. Plötzlich

— ja, schon wieder PLÖTZLICH, jener Tag verging wie in Sprüngen – stand ich vor einem Köter, der mit bibberndem Hinterteil am Straßenrand hockte – BIBBERND: das habe ich noch nie verwendet! – und seinen Haufen machen wollte, du weißt ja, wie das ist. Ich, nicht faul – (zu George, der stockt: ›Laß dich durch mich nicht von der Arbeit abhalten!‹) versetze ihm einen Tritt – (Henny Porten: ›Nicht weitererzählen, bitte: ich möchte nicht davon träumen müssen!‹ George: ›Ich war auch einmal in Gedanken bei einem kleinen Kind und einem Bügeleisen, und als ich plötzlich jemanden nach der Türklinke greifen sah, schrie ich ihn an: NICHT ANFASSEN!‹ Jannings: ›Du kannst reden und dabei die Zigarren GLEICHMÄSSIG stapeln?‹ George arbeitet schweigend weiter, Jannings redet weiter) und ging nach Hause. Zum Glück wurde es schnell Nacht, wie immer in den Tropen – so heißt es doch in allen Erzählungen, nicht wahr? – und wie ich langsam die Tür aufmache, raschelt es leise dahinter. (LANGSAM und LEISE gehören meistens zusammen!) Ich feuerte sofort durch die Füllung – dabei hatte ich doch selber die Zeitung ausgebreitet, damit die Einbrecher erschraken, wenn sie die Tür aufmachten. Ein schlimmer Tag! Später im Schaukelstuhl nickte ich ein. Plötzlich erwache ich und sehe den Hund an mir vorbeilaufen. Ein schneller Schlag mit der Reitgerte – du weißt, wie das ist? (George nickt) Aber es waren meine eigenen Füße: als ich aufschreckte, hatte ich meine schwarzen Socken für den Hund angesehen.«

Pause.

Jannings: »Du sagst nichts?«

George: »Ich habe nicht das Bedürfnis, etwas zu sagen.«

Jannings: »Es genügt, daß ich das Bedürfnis habe, etwas von dir zu hören.«

George: »Wenn ich aber das Bedürfnis habe zu schweigen?«

Jannings: »Dann mußt du dir sagen, daß es in bezug auf die Bedürfnisse darauf ankommt, zu lernen, das Bedürfnis zu haben, das zu tun, was du ohnehin tun mußt.«

Pause.

Jannings: »Sag was!«

Pause.

George: »Aber was wollten Sie mit der Geschichte beweisen? Sie werden doch die Geschichte nicht erzählt haben, nur um eine Geschichte zu erzählen?«

Jannings: »Ich habe sie erzählt, damit du weißt, wie es ist, wenn ein Tag vergeht, ohne daß man bei der Sache ist.«

George: »Bei welcher Sache?«

Jannings: »Bei der Arbeit.«

George: »Sie arbeiteten damals nicht?«

Jannings: »Ich arbeitete wohl, aber ich war nicht bei der Sache.«

George: »Und wie ist es, wenn man bei der Arbeit nicht bei der Sache ist?«

Jannings: »Ich erzählte es dir: schnelle Dunkelheit, ein Rascheln hinter der Tür, fremde Hunde im Zimmer!«

George: »Und wie ist es, wenn man bei der Arbeit bei der Sache ist?«

Jannings: »Sie wird zum Spiel.«

George: »Und wie kommt man dazu, daß man bei der Arbeit bei der Sache bleibt?«

Jannings: »Man muß sich vorstellen, sie sei ein Spiel.«

George: »Und wer bestimmt das Spiel?«

Jannings: »Der es spielt: der arbeitet.«

George: »Ist das so, oder muß man es sich vorstellen?«

Jannings: »Wenn man bei der Sache ist, ist es so.«

George: »Wenn man aber nicht bei der Sache ist, muß man sich das erst vorstellen?«

Jannings: »Wenn man nicht bei der Sache ist, kann man sich das nicht vorstellen. Statt dessen: schnelle Dunkelheit, ein Rascheln hinter der Tür –«

George: »Ich bin aber nicht bei der Sache.«

Jannings: »Ich werde es dir zeigen.«

Er steht auf und legt eine Zigarre in die Kiste, mit spielerischen Bewegungen, mit einem Fingertanz.

Er setzt sich: »Für mich ist die Arbeit Spiel.«

George: »Es ist ja auch nicht *Ihre* Arbeit. Wohl aber ist es Ihre *Sache*. Und an Ihnen ist es, mir zu sagen, wie *meine* Arbeit an *Ihrer* Sache ein Spiel genannt werden kann. Ich, der ich nicht bei der Sache bin, kann – Sie haben recht – es mir nicht vorstellen.«

Pause.

Jannings: »Du mußt die Arbeit wie eine Wette betrachten: wer schneller, wer eleganter, wer gründlicher – dann gibt es Gewinner und Verlierer.«

George: »Mit wem aber soll ich wetten, wenn ich allein bin?«

Jannings: »Mit dir selber.«

George: »Ob ich schneller bin als ich?«

Jannings: »Keine Ironie! Die kannst du dir erlauben, wenn du mit der Arbeit fertig bist. – Hast du nicht zwei Hände?«

George: »Versteht sich.«

Jannings: »Welche Hand ist geschickter?«

George: »Die rechte wohl.«

Jannings: »Dann wette mit dir und versuch es.«

Pause.

George fängt an, mit der Linken, dann mit der Rechten die Zigarren in die Kiste zurückzulegen.

Er wird immer schneller, gerät in eine ARBEITSWUT.

Er ist fertig und stellt die Kiste auf den Tisch.

Jannings: »Welche Hand hat gewonnen?«

George schweigt.

Plötzlich sagt er: »Wetten wir etwas anderes!«

Jannings: »Gut, wetten wir!«

George zeigt auf Henny Porten: »Sie legen sie übers Knie und schlagen sie.«

Jannings: »Und wie geht die Wette?«

George: »Legen Sie sie zuerst einmal übers Knie.«

Jannings legt Henny Porten übers Knie.

George: »Sie schlagen sie mit der Reitgerte schnell hintereinander eine Minute lang. Den Mund halten Sie dabei geschlossen. Wenn Sie den Mund aufmachen, haben Sie verloren.«

Jannings: »Die Wette gilt.«

Pause.

Er beginnt sie heftig zu schlagen, aber schon nach einigen Schlägen weichen ihm die Lippen auseinander.

Er läßt erschrocken von ihr ab und setzt sich, kneift die Lippen zusammen. Er streicht sich über die Stirn.

George setzt sich auch.

Pause.

Stroheim berührt wie zufällig die Gitarre.

Ein sehr leiser Laut.

Pause.

Er lacht auf.

Jannings öffnet den Mund wie zu einem Brüllen und will auf den Tisch schlagen. Er schließt den Mund sofort wieder und läßt die Faust sinken, öffnet die Finger.

Er sagt: »Ich glaube –« Er hört sofort wieder zu reden auf.

Er will nach etwas greifen, hält aber mitten in der Geste inne und läßt die Hand wieder fallen.

George, zu Henny Porten: »Am besten, Sie stellen sich alles gleich noch einmal vor: dann brauchen Sie später nicht davon zu träumen –«

Henny Porten lächelt: »Vom Wasser und vom Wahnsinn, von –«

Zur gleichen Zeit wollte auf der andern Seite Stroheim etwas sagen: »Ich hatte starke –«

Sie brechen beide ab.

Pause.

Dann wendet sich Henny Porten wieder an George: »Vom Wasser und vom Wahnsinn, von den Narrenschiffen auf den großen Flüssen, wo –«

Und wieder gleichzeitig hat Stroheim wie zu Elisabeth Bergner gesagt: »Ich hatte starke Angst. Ich hatte starke Angst um –«

Pause.

Jannings deutet auf Stroheim, während er zu Henny Porten hinschaut: »Er ist dran.«

Pause.

Stroheim, wie im Spiel zu Elisabeth Bergner: »Ich hatte so starke Angst um Sie, daß ich plötzlich auflachte. Sie saßen da und bewegten sich nicht. Nur Ihre Halsschlagader pulste.«

Elisabeth Bergner: »Ich habe nicht zugehört.«

Er beugt sich über sie, aber so, daß sie sein Gesicht *verkehrt* sehen muß.

Sie öffnet die Augen, ein kleiner Entsetzenslaut, er dreht seinen Kopf, daß sie sein Gesicht wieder normal sieht, und sie wird sofort ruhig und schaut auf die Gitarre: »Ist die für mich?«

Stroheim stockt, reicht sie ihr.

Elisabeth Bergner: »Und was muß ich dafür tun?«

Sie dreht die Gitarre, wie man ein Geschenk dreht, reicht sie dann zurück.

Stroheim legt sie auf den Tisch.

Er streicht Elisabeth Bergner mit dem Finger über den Hals.

Pause.

Sie schlägt auf seine Hand. »Berühren Sie mich nicht!«

»›Warum?‹« souffliert Jannings.

Stroheim: »Warum lassen Sie sich berühren? Sie haben sich doch auch früher berühren lassen?«

Elisabeth Bergner: »Schauen Sie mich nicht an!«

Stroheim: »Vorhin haben Sie mich zärtlich angeschaut!«

Elisabeth Bergner: »Das heißt, daß ich Sie auch jetzt ›zärtlich anschauen‹ soll?«

Stroheim stellt sich vor sie hin. Sie schaut weg: »Jedesmal, wenn ihr zu reden anfangt, glaubt man, ein Bettler wolle einen ansprechen.«

Stroheim: »›Ihr‹?«

Elisabeth Bergner: »Ja, Sie auch.«

Stroheim: »Geben Sie mir Ihre Hand.«

Elisabeth Bergner: »Wozu?«

Stroheim ergreift ihre Hand.

Elisabeth Bergner: »Sie können handlesen?«

Stroheim streicht über ihr Haar.

Elisabeth Bergner: »Ich weiß, ich bin schlecht frisiert.«

Er sagt: »Sie sind schön.«

Elisabeth Bergner: »Haben Sie vielleicht meine Handtasche irgendwo gesehen?«

Er legt ihr eine Halskette um: »Was bekomme ich dafür?«

Elisabeth Bergner: »Warum verderben Sie mir alle Freude an der Kette?«

Stroheim: »Was kann ich tun, damit Sie aufhören, mich zu verachten? Ist es meine Art, mich zu bewegen, die Ihnen mißfällt? Ist es mein Haaransatz? Ist es meine Kopfhaltung, die Sie wegsehen läßt? Ekelt es Sie vor den Haaren auf meinen Händen? Finden Sie es übertrieben, wie meine Arme beim Gehen auf und abschwingen? Spreche ich Ihnen zuviel?«

Henny Porten, als Zuschauerin, lacht weiter weg auf.

Pause.

Wie am Telefon: »Sind Sie noch da?«

Sie sieht ihn an.

Stroheim: »Wo waren Sie? Sagen Sie doch etwas! So sag doch etwas! Kommen Sie zurück! Sie waren so schön, daß es schmerzlich war, Sie anzusehen; so schön, daß ich plötzlich starke Angst um Sie hatte. So schmerzlich schön waren Sie, daß Sie mich, den plötzlich Lebendigen, schrecklich *allein* zurückließen. Sie sagten nichts, und ich sprach zu Ihnen, wie man zu gerade Gestorbenen redet: so sagen Sie doch etwas, so sag doch etwas! Kannst du es dir vorstellen?«

Pause.

Elisabeth Bergner: »Jetzt nicht mehr. Einen Augenblick lang – (Pause) nein. Es ist vorbei.«

Stroheim: »Hören Sie nicht auf zu sprechen, ich habe Angst, einzubrechen, wenn Sie aufhören zu reden. Im Augenblick ist meine Zärtlichkeit für Sie so heftig, daß ich Sie schlagen möchte.«

Pause.

Er schlägt sie.

Sie steht auf.

Er starrt sie an. Sie läßt sich anstarren.

Aus der langen Starre heraus bewegt sie sich langsam und geht vor ihm auf und ab. Aus ihren gleitenden Bewegungen dreht sie sich jeweils ruckhaft um, stützt die Hand in die Hüfte, streckt sich locker, läßt die Arme fallen, streift, während sie sich so bewegt, mehrere Gegenstände, stützt sich überall ab, schwingt sich einmal zu ihm herum, bleibt vor ihm stehen, während sie sich das Halsband abnimmt.

Sie steht da, als sei sie gerade zu einer Tür hereingekommen und hätte sich an die Tür gelehnt.

Sie streichelt ihn mit dem Halsband und läßt es zurück in seine Tasche fallen.

Sie schaut ihn an: »Nicht bewegen!«

Er will sie berühren, sie steht lächelnd still, er stockt einen Augenblick, berührt sie jetzt am Nacken und will sie an sich ziehen, aber jetzt ist es einen Augenblick zu spät, ihr Nacken widersteht ihm, sie schüttelt mit der Schulter seine Hand ab und tritt zurück.

Elisabeth Bergner: »Warum schauen Sie mich nicht gleichgültig an?«

Stroheim: »Dazu müßte ich mir vorstellen, daß Sie mir gehören.«

Elisabeth Bergner: »Dann stellen Sie es sich vor.«

Stroheim: »Wo soll ich anfangen mit der Vorstellung?«

Elisabeth Bergner zeigt auf die Gitarre: »Gehört ›das‹ Ihnen?«

Sie schiebt es verächtlich weg.

Stroheim: »Je länger ich Sie anschaue, desto gespenstischer kommen Sie mir vor.«

Elisabeth Bergner: »Und mit jedem Ihrer Gefühle, die Sie mir beschreiben, nehmen Sie mir ein mögliches weg.«

Stroheim: »Ich beschreibe Ihnen nicht meine Gefühle!«

Elisabeth Bergner: »Aber Sie *bedeuten* sie mir. Und jedesmal, wenn Sie mir Ihre Liebe bedeuten, stumpfe ich mehr gegen Sie ab und schrumpfe zusammen. Ihre Gefühle rühren mich, aber ich kann auf sie nichts antworten, das ist alles. Anfangs liebte ich Sie, Sie waren so ernst. Es fiel mir auf, daß man sonst nur von einem Kind sagen kann, daß es ›ernst‹ sei. Außerdem (sie lacht) aßen Sie schön! Sie aßen wirklich schön! Und als ich einmal sagte: ›Ich bin naß geworden bis auf die Haut!‹, sagten Sie: ›Bis auf *Deine* Haut!‹ Wenn ich darüber spreche, liebe ich Sie fast wieder. (Sie umarmt ihn plötzlich, tritt aber sofort noch weiter zurück) Aber ich brauche das nur zu sagen, und ich werde sofort unempfindlich. Die ganze Zeit redeten Sie, und ich vergaß Sie immer mehr. Dann schreckte ich auf, und Sie waren immer noch da ... Ganz fremd, redeten Sie doch schamlos vertraut mit mir, wie zu jemand am Ende eines Films. Verstehen Sie? Ich bin tabu für Sie! Plötzlich war ich tabu für Sie. Zwei Sekunden! Zwei Sekunden Schmerz, das wird es mir später bedeuten, Sie geliebt zu haben! (Pause) Ich bin nicht enttäuscht, ich bin nicht schwermütig, ich bin Ihrer nur müde. (Sie bewegt sich unmerklich unter ihrem Kleid) Ich habe Ihnen soviel Unrecht getan!«

Stroheim: »Was für ein Unrecht?«

Elisabeth Bergner: »Das Unrecht, Sie zu lieben.«

Henny Porten klatscht plötzlich heftig, George lacht anzüglich, Stroheim und Elisabeth Bergner lösen sich langsam von der Stelle und fangen an, in verschiedenen Richtungen ziellos umherzugehen.

Pause.

Emil Jannings beginnt eine Geschichte: »Kürzlich sah ich eine Stewardeß, aber eine häßliche –«

Stroheim unterbricht ihn: »Reden wir von etwas anderem!«

Emil Jannings beginnt eine andere Geschichte: »Vor noch nicht langer Zeit sah ich eine Frau auf der Straße stehen, keine Nutte, muß ich dazusagen –«

George unterbricht ihn: »Was andres!«

Jannings: »Es ist weniger als eine Woche her, da sah ich hinter einem Bankschalter jemanden mit einer ziemlich langen Nase. Als ich mit ihm sprach, stellte sich aber heraus, daß er trotzdem –«

Henny Porten und Elisabeth Bergner unterbrechen ihn:
»Wechseln wir das Thema!«

Jannings: »Also gut. Es sind noch keine fünf Minuten vergangen, da sprach mich im Park ein Mann an, nein, kein Schwuler –«

Er wird unterbrochen von einem Mädchen, das von rechts auf die Bühne kommt, mit einem Koffer in der Hand.

ALICE KESSLER.

Sie trägt ein Nachmittagskleid und schaut aus, als hätte sie sich in diese Vorstellung verirrt.

Sie stellt den Koffer ab, fängt aber unerhört selbstverständlich zu reden an:

»Seid ihr's? Bin ich recht hier? Ich hörte euch von weitem reden und kam herein. Die Geräusche, die ich hörte, waren so einladend, Stimmen und Lachen, was gibt es Schöneres? Was zeigt ihr euch da, ich möchte auch etwas sehen! Was tuschelt ihr da, ich möchte auch etwas hören!«

Sie wirft Stroheim ihren Hut zu.

Stroheim ist so verstört, daß er ausweicht statt ihn aufzufangen.

Alice: »Wie geht es euch?«

Pause. Alle sind wie erstarrt.

Alice: »Wie geht es euch?«

Elisabeth Bergner löst sich plötzlich und bewegt sich von der Stelle. Sie probiert ihre Antwort: »Gut? Gut. Gut! Uns geht es gut. Doch! Uns geht es gut!«

Pause. Sie probt weiter, wieder NORMAL zu reden: »Und wie – und wie geht es dir?«

Alice antwortet ganz selbstverständlich: »Auch mir geht es gut. Zwar zittert mir noch die Hand von dem schweren Koffer, und in den Knien bin ich noch ein wenig schwach, weil ich nicht gewohnt bin, in Stöckelschuhen zu gehen, aber all das kann ich verschmerzen über der Freude, euch zu sehen. Was tut ihr hier?«

Elisabeth Bergner freut sich, so einfach antworten zu können: »Wir unterhalten uns.«

Alice: »Und jetzt wißt ihr nicht weiter?«

Elisabeth Bergner: »Vielleicht.« Sie stockt: »Ja. Ja!«

Alice: »Guten Tag!«

Elisabeth Bergner: »Guten Tag!«

Alice, zu den andern: »Guten Tag!«

Sie heben verwirrt die Köpfe. Wie erwachend, noch im Halbschlaf, als wüßten sie noch nicht, was sie sagen, sagen sie nach und nach: »Guten Tag!«

Dann begreifen sie, was sie gesagt haben, und leben auf.

Das Bühnenlicht wird allmählich wieder zu einem Morgenlicht.

Alice: »Wie spät ist es?«

George stößt Jannings in die Hüfte.

Jannings, schon wieder wie im Schlaf: »Haben Sie denn keine Uhr?«

Er schreckt auf: »›Wie spät ist es‹? Natürlich: wie spät ist es? Ja, wie spät ist es denn? Das hättest du gleich sagen können!«

Er klappt vor Alice Kessler seine Taschenuhr auf.

Sie sagt: »Danke!«, und er klappt die Uhr wieder zu.

Jannings, nach einer Pause: »Bitte.«

Er breitet die Arme aus wie über eine gefundene Lösung und spielt mit seiner Antwort: »Bitte!«

Zu George: »Fragen Sie mich, wie spät es ist!«

George, heiter: »Wie spät ist es?«

Jannings hält ihm die Taschenuhr hin.

George: »Danke!«

George klappt die Uhr zu: »Bitte!«

George, heiter: »Danke!«

Jannings, fröhlich: »Aber ich bitte Sie: nichts zu danken!«

Alice Kessler reicht ihm die Hand. Er schlägt sofort ein.

Sie reicht auch George die Hand, und er schlägt sofort ein.

Sie reicht Henny Porten die Hand, und die ergreift sie dankbar.

Auch Erich von Stroheim versteht und ergreift ihre Hand.

Sie zieht sich nun die Handschuhe von den Fingern, wobei alle sie neugierig betrachten.

Sie reicht sie Stroheim, und er nimmt sie ihr ab.

Er hebt jetzt auch den Hut auf und wirft ihn spielerisch George zu.

George fängt ihn und legt ihn auf den Tisch.

Stroheim legt die Handschuhe dazu.

Alles klappt!

Elisabeth Bergner läßt sich wie beruhigt nieder.

Alice zu Stroheim: »Was hast du da in der Hand?«

Stroheim öffnet die Faust: »Ein Halsband. Ja, ein Halsband!«

Alice: »Es ist schön!«

Eine Stimme aus den Kulissen: »Es ist *nicht* schön!«

Von links tritt jetzt ELLEN KESSLER auf, ebenfalls mit einem Koffer, genauso gekleidet wie Alice.

Sie wirft Stroheim ihren Hut zu, zieht dann ihre Handschuhe ab und reicht sie ihm.

Er legt beides auf den Tisch und fragt sie: »Du möchtest es also haben?«

Alice antwortet: »Ja.«

Er wendet sich Alice zu und legt ihr das Halsband um.

Sie räkelt sich darunter.

Ellen fängt an, umherzugehen. Sie geht mit den gleichen Bewegungen umher wie früher Alice, gibt allen noch einmal die Hand und sagt: »Guten Tag!«

Man antwortet ihr – jedenfalls die ersten zwei – jeweils nach einer Pause, lacht dann einander zu wie über einen Witz.

George nimmt hinter ihrem Rücken zuerst eine Zigarre aus der Kiste, zeigt sie Jannings; dann nimmt er eine zweite heraus: sie lachen lautlos; schließlich zeigt George Jannings eine dritte Zigarre, und Jannings wird ernst und schaut nach links und nach rechts, aber niemand kommt mehr.

Ellen tippt inzwischen Stroheim zur Begrüßung auf die Schulter. Er spricht gerade zu Alice: »Wie kommt es, daß ich so sicher bin, dich schon gesehen zu haben, sooft ich dich anschaue, obwohl, wenn ich es ausspreche (er dreht sich, da sie ihn auf die Schulter getippt hat, zu Ellen um und spricht wie selbstverständlich zu ihr weiter), es mir als die übliche Floskel erscheint?«

Sie reicht ihm die Hand, und er beugt sich darüber.

Sie fährt zurück, und Alice sagt: »Er hat mich gebissen!« ohne sich dabei zu bewegen, während Ellen die entsprechenden Gesten ausführt.

Stroheim zu Alice: »Ich war in Gedanken dabei, mich selber in den Arm zu kneifen.«

Alice, bewegungslos: »Schon vergessen.«

Stroheim: »Schon vergessen?«

Alice: »Du fragst immer, warst du zu lange allein?«

Stroheim: »Warum?«

Ellen: »Oder hast du zuviel gearbeitet?«

Stroheim: »Warum?«

Alice: »Oder stellst du nur Gegenfragen, um für

die Antwort Zeit zu gewinnen? Weil du dir eine Lüge ausdenkst? Weil du inzwischen so aufgelöst bist, daß du, ohne zu lügen, nicht mehr antworten kannst? ›Ich kam ruhig herein, und ihr saßt aufgelöst da, aber ihr schautet mich an, als ob *ihr* bis dahin ruhig gewesen wärt, und *ich*, indem ich so plötzlich hereinkam, eigentlich aufgelöst aussehen müßte.‹«

Stroheim: »Wovon redest du?«

Ellen: »Von dir. Ich wollte dir nur zeigen, wie du redest.«

Sie lehnt sich hinten an ihn, schiebt ein Bein durch seine Beine.

Er schaut an sich herab.

Sie legt die Arme um seinen Hals.

Alice winkt ihm mit einem Finger.

Ellen verdoppelt die Geste, indem sie von hinten die Hand vor sein Gesicht hält und ebenfalls den Finger krümmt.

Er will einen Schritt vor tun, sich aber gleichzeitig zurücklehnen, bleibt stehen.

Stroheim: »Ich rede, wie ich will.«

Ellen legt ihm die Hände über die Augen.

Alice: »Dann sag was.«

Stroheim öffnet den Mund und schließt ihn. Er macht mit den Händen Bewegungen, als suchte er etwas, das ihm immer wieder entschlüpft.

Er stammelt, bringt, sooft die Hand etwas zu ergreifen scheint, immer wieder ganze Silben heraus: »sei, was, un, fe«, greift dann nach, und es entwischt ihm wieder, und er stammelt weiter.

Ellen nimmt die Hände von seinen Augen, und er

beruhigt sich sofort und sagt: »Ich kann nicht: es ist, als ob man unter Wasser nach einem Stück Seife sucht.«

Alice: »Was?«

Stroheim: »Schon vergessen. Als du mir die Augen zuhieltest, hatte ich es ganz klar vor mir, aber jetzt habe ich es vergessen.« Er stockt: »›Schon vergessen‹! Das war es! Du sagtest: ›Schon vergessen!‹, und ich erinnerte mich an etwas, aber an was? Es entschlüpfte mir immer wieder, und ich hatte ein Gefühl, als ob ich unter Wasser nach einem Stück Seife suchte –«

Er macht obenhin eine Geste, schnüffelt plötzlich an den Fingern, wiederholt die Geste.

Pause.

Ellen: »Vielleicht fällt es dir ein –«

Alice: »– wenn du mir zuschaust?«

Ellen, mit schmeichelnder Stimme, zweideutig: »Vielleicht, wenn du mir zuschaust, fällt dir auch ein, wo du mich hintun sollst – (sie lacht) wo du mich hingetragen hast – (sie lacht) damals, erinnerst du dich? – (sie lacht) und es fällt dir auch ein, was du jetzt mit mir tun sollst.« Sie lacht.

Da sie hinter ihm steht, sieht man sie nicht reden, wohl aber bewegt Alice die Lippen und macht die dazugehörigen Gesten.

Sie lassen ihn stehen und tänzeln nebeneinander über die Bühne. Mit einer herzlichen Arbeitslust, fast parallel in ihren Bewegungen, machen sie sich an den Gegenständen und um die Personen zu schaffen: während die eine Jannings die Stiefel auszieht, schnürt die andre George die Schuhe auf; zur gleichen

Zeit fertig, fangen sie Henny Porten und Elisabeth Bergner die Haare zu bürsten an; und wieder zur gleichen Zeit sind sie fertig und tänzeln zur offenen Lade der Kommode; mit vier Zierkissen kehren sie zurück und schieben sie schon, durcheinanderlaufend, aber mit den gleichen Bewegungen, den vier Personen unter den Rücken; und man hat das noch gar nicht recht wahrgenommen, als sie schon mit vier Gläsern und zwei Flaschen wieder am Tisch sind und die Gläser und Flaschen vor den Personen aufstellen.

Jetzt aber werden ihre Bewegungen auf einmal langsamer, fangen nach und nach an, einander zuwiderzulaufen: eine macht jeweils die Arbeit der andern rückgängig: die eine räumt die Gläser und Flaschen wieder weg, die die andre hingestellt hat, während die andre die Haare durcheinander bringt, die die andre gerade gebürstet hat; dann nimmt die eine die Zierkissen den Personen weg, denen die andre sie gegeben hat. Zur gleichen Zeit räumt die andre die Flaschen und die Gläser weg, die die eine ... Dann schnürt die eine die Schuhe zu, die die andre aufgeschnürt hat, während inzwischen die andre die Zierkissen wegnimmt, die ..., worauf die eine die Haare durcheinanderbringt, die ..., während die andre Emil Jannings die Stiefel wieder anzieht.

Sie hören aber gleichzeitig auf und wollen in entgegengesetzte Richtungen rasch von der Bühne laufen; kehren noch einmal um und wechseln die Richtungen, laufen endgültig in die Kulissen.

Kaum sind sie nicht mehr zu sehen, hört man sie auch schon nicht mehr laufen.

Alle auf der Bühne halten den Atem an.

Aus ihrer völligen Bewegungslosigkeit springen Jannings und George plötzlich auf und stürzen sich auf die Koffer, die auf der Bühne geblieben sind.

Sie werfen sie den beiden nach in die Kulissen, aber es ist kein Geräusch des Aufprallens zu hören.

Sie horchen. Dann hören sie auf zu horchen.

Während sie an ihre Plätze zurückgehen, springt auch Henny Porten plötzlich auf und wirft die übrigen Sachen, Hüte und Handschuhe, den beiden nach in die Kulissen, die Hüte wie Handschuhe, die Handschuhe läßt sie segeln wie Hüte. Man hört sie aufprallen wie Koffer.

Alle lassen sich auf ihren Plätzen nieder.

Henny Porten: »Gu –«

Alle wenden sich sofort Elisabeth Bergner zu.

Henny Porten: »*Ich* spreche.«

Man wendet sich unbeholfen ihr zu. Elisabeth Bergner scheint eingeschlafen.

Henny Porten: ›Guten Tag!‹

George, ein wenig zu spät: ›Guten Tag!‹

Henny Porten, ein wenig zu spät: ›Wie geht es dir?‹

George, ein wenig zu spät: ›Gut.‹ Ein wenig zu spät: ›Und wie geht es dir?‹

Henny Porten, ein wenig zu spät: ›Gut.‹ – ›Reich mir bitte die Zeitung!‹

Kleine Pause.

Jetzt reicht George ihr erst die Zeitung vom Tisch.

Sie hält sie in der Hand.

Pause.

Jetzt schaut sie erst hinein.

George: ›Steht was drin?‹

Pause.

Henny Porten, als hätte sie sofort geantwortet: ›Ich schau gerade.‹

Pause.

Sie legt die Zeitung weg.

George: ›Gib mir die Zeitung.‹

Pause.

Jetzt erst gibt sie ihm die Zeitung, aber so, als hätte sie sie ihm sofort gegeben.

George schlägt sie auf, schaut erst nach einer Pause hinein.

Pause.

Jetzt erst ruft er aus, als hätte er das Bild auf den ersten Blick gesehen: ›Eisschollen!‹

Pause.

Henny Porten, lebhaft: ›Im Ernst?‹

Pause.

›Wieviel wiegst du?‹

Pause.

George: ›Zweihundertachtzehn Pfund.‹

Pause.

Henny Porten: ›O Gott!‹

Pause.

Emil Jannings schüttelt den Kopf. Er stockt und schaut George an: »Warum schütteln Sie den Kopf? Wollen Sie mir widersprechen?«

George: »Weder schüttle ich den Kopf noch würde ich, auch wenn ich den Kopf schüttelte, Ihnen damit widersprechen wollen!«

Henny Porten, zu Jannings: »Sie selber schüttelten den Kopf!«

Jannings: »Das war ich?«

Stroheim: »Das waren Sie.«

Jannings schaut zu GEORGE: »Wer spricht?«

Stroheim: »Ich.«

Jannings zu Stroheim: »Das waren Sie?«

George: »Ja.«

Jannings zu George: »Sie *reden*?«

George: »Träumen Sie?«

Jannings:

»Ist dies die Erd? Ist's Himmel oder Hölle!
Schlaf oder wach ich? Bin ich bei Verstand?
Mir selbst ein Rätsel, bin ich hier bekannt?
Sagt mir, bin ich vertauscht, bin ich noch ich?«

Pause. Zu George: »Haben Sie Streichhölzer?«

George: »Ja.«

Pause.

Jannings zeigt mit dem Finger auf den Tisch, aber alle schauen seinen Finger an. Schließlich schaut er selber seinen Finger an und läßt die Hand sinken.

Pause.

Stroheim will das rote Tuch hervorziehen.

Jannings erblickt es und schreit: »Nein!« Stroheim steckt es sofort weg.

Pause.

Henny Porten lacht auf, wird sofort still.

George schaut sie FRAGEND an, sie schüttelt nur den Kopf.

Pause.

Jannings: »Lasset uns zu Gott beten.«

Henny Porten, sofort: »Meine Praline.«

Elisabeth Bergner, im Schlaf: »Es ist eine Ratte in der Küche.«

Pause.

Stroheim greift in die Zigarrenkiste. Er fragt: »Darf ich mir eine nehmen?« Man schaut ihn an, er zieht die Hand zurück.

Er fragt noch einmal: »Darf ich mir eine Zigarre nehmen?«, streckt dabei schon die Hand aus. Man schaut ihn an, und er zieht die Hand zurück.

Mit an sich gepreßten Armen fragt er noch einmal: »Darf ich mir eine nehmen?« Niemand schaut ihn an, und er nimmt sich eine Zigarre.

Henny Porten gibt ihm den Aschenbecher.

Geroge, zu Henny Porten: »Danke.«

Henny Porten: »Warum bedanken Sie sich?«

George: »Weil das meine Sache gewesen wäre.«

Lange Pause.

George hebt die Teekanne auf und stellt sie wieder hin.

Jannings fährt ihn an: »Was wollen Sie damit sagen?«

George zieht den Kopf ein.

Pause.

Er holt ein Stück Schokolade hervor, entfernt das Silberpapier und ißt sie.

Als er sie gegessen hat, fragt er Henny Porten: »Oder wollten Sie ein Stück davon?« Sie antwortet nicht. Er starrt in die Zeitung: »Gerade habe ich das Wort SCHNEESTURM gelesen und finde es jetzt nicht wieder!«

Alle starren in die Zeitung.

Pause.

Stroheim zu Henny Porten: »Haben Sie die Nummer 23 32 322?«

Henny Porten: »Nein, ich habe die Nummer 233 23 22.«

Kleine Pause.

Henny Porten: »In meiner Nähe gibt es ein Einkaufszentrum mit Läden, Lokalen und . . .«

Stroheim: »Einem Kino?«

Henny Porten: »Wieso?«

Pause.

Henny Porten: »Einmal war ich beim Schlußverkauf –«

George: »Und alle schrien, liefen und warfen Möbel um?«

Henny Porten: »Nein. Sie – Doch! Sie warfen Möbel um, schrien und liefen!« Sie schaut ihn erfreut an, wird sofort wieder ernst. Plötzlich erfreut zu Stroheim: »23 32 322? Doch, das ist meine Nummer!«

Pause.

Sie schaut George lange an.

George: »Warum schauen Sie mich so an?«

Henny Porten: »Ich habe Angst, Sie nicht wiederzuerkennen.«

Sie hat ihre Antwort im Ernst angefangen, im Spaß aufgehört.

Sie schmiegt sich den Kopf an die Schulter.

Pause.

George senkt den Kopf.

Henny Porten: »He!«

George schreit sie an: »Was für ein Gefühl haben Sie?« Er kommt zu sich und fragt sie freundlich von neuem: »Was für Gefühle haben Sie, wollte ich Sie fragen?«

Henny Porten: »Es sind zu viele.«

Jannings: »Damals roch es vor dem Gewitter im Gras nach Hundepisse.«

Henny Porten: »Wer sagt das?«

Jannings: »Ich?«

Henny Porten: »Ach so.« Sie redet gleich weiter: »Als Kind mußte ich, wenn ich etwas haben wollte, jedesmal zuerst sagen, wie es heißt.«

George will etwas sagen: »Und ich –«

Stroheim, gereizt: »Ja, man zeigte mir eine Sache und ging damit von mir weg – (besinnlich) und ich mußte nachkommen und sie mir holen.«

George will etwas sagen: »Und ich –«

Stroheim: »Oder man machte einfach die Lade auf, in der sie lag, und ging weg.«

George zu Stroheim: »Und damit ich lernte, mich durchzusetzen – (Stroheim schaut weg, George wendet sich an Jannings) wurde ich zu den Sachen hingeschubst, die mir jemand andrer weggenommen hatte. (Jannings schaut weg, und er wendet sich an Henny Porten) Ich sollte sie selber zurückholen.«

Henny Porten, sich erinnernd: »Ja! Wie ich da gezappelt habe!«

Stroheim, als er wegschaute, hat zugleich zu Jannings, der sich räusperte, gesagt: »Sie wollten etwas sagen?«

Jannings: »Nein.«

Pause.

George: »Seltsam!«

Er will mit dem Ausruf auf sich aufmerksam machen, aber niemand wendet sich zu ihm. Henny Porten zwinkert vielmehr Jannings zu, der darauf einen Finger auf die Lippen legt und den Kopf schüttelt. Stroheim beugt sich darauf vor und zieht mit dem Finger ein Auge in die Länge.

Diesmal wird das Zeichen beachtet: Jannings zieht mit zwei Fingern als Antwort den Mund auseinander; darauf schlägt Stroheim, indem er ihn deutlich mit Daumen und KLEINEM FINGER umfaßt, an seiner Jacke den Revers um, und Jannings nickt zweimal. Henny Porten, Stroheim und Jannings lachen, während George wieder »Seltsam!« sagt.

»Was ist seltsam?« fragt ihn Henny Porten wie unwillig.

George erzählt erleichtert: »Plötzlich erinnerte ich mich an einen Hügel, den ich mit jemandem hinaufgestiegen war, und an die Wolkenschatten, die dabei kamen und verschwanden.«

Henny Porten: »Und was ist seltsam daran?«

George: »Daß ich mich so ohne Anlaß daran erinnere.«

Henny Porten wischt sich das Auge aus, als hätte er sie beim Reden angespuckt. Sehr feindselig sagt sie: »Tun Sie Ihre Zeitung da weg!«

George: »Es ist nicht meine Zeitung!«

Sie SCHNIPPT die Zeitung weg: »Und räumen Sie Ihre Teetasse da weg!« Sie schnippt an die Teetasse, daß sie umkippt.

George: »Es ist nicht meine Teetasse!«

Henny Porten: »Und verschonen Sie mich mit Ihren Erinnerungen!« Sie redet sofort freundlich zu Stroheim weiter: »Kennen Sie die Redensart: ›Im Haus des Erhängten den Strick erwähnen‹?«

Jannings lacht, Stroheim lächelt.

George: »Warum sind Sie so feindselig?«

Henny Porten: »Und warum sind Sie so blaß?«

George: »Ich bin nicht blaß!«

Henny Porten: »Und ich bin nicht feindselig!« Sie spricht sofort weiter: »Kennen Sie den Ausdruck: ›Die Hände auf den Kopf legen‹?

George schaut Jannings an. Dann antwortet er: »Gewiß.«

Henny Porten: »Warum schauen Sie *ihn* an, bevor Sie antworten?«

George: »Ich bin es so gewohnt.«

Henny Porten: »Legen Sie die Hände auf den Kopf!«

Er stockt.

Henny Porten: »Haben Sie gehört?«

Er schaut wieder zu Jannings, bevor er sagt: »Ich überlege noch.«

Henny Porten: »Aber es gibt doch den Ausdruck, nicht wahr?«

Langsam legt er die Hände auf den Kopf.

Stroheim spielt mit: »Legen Sie die Hände auf den Tisch!«

George probiert, ob es den Satz gibt: »›Legen Sie die Hände auf den Tisch!‹?« Erleichtert: »Ja.« Er legt die Hände auf den Tisch.

Henny Porten: »Ballen Sie die Hände und streicheln Sie mich!«

George probiert: »›Ballen Sie die Hände und streicheln Sie mich!‹? Nein!«

Stroheim: »Reichen Sie mir die Tasse herüber!«

George reicht ihm die Tasse ohne Nachdenken.

Henny Porten: »Ich werde Ihnen etwas zeigen!«

Sie lächelt Stroheim als Eingeweihten zu und fängt an, in ihren Kleidern zu suchen.

George streckt schließlich die Hand aus, während sie noch sucht.

Sie blickt ab und zu auf die Hand und sucht weiter.

Plötzlich schlägt sie ihn auf die Hand und schiebt sie weg.

Sie sagt böse: »Das wollte ich Ihnen zeigen!«

Er krümmt sich zusammen, zieht den Kopf ein.

Sie bedeckt auf einmal mit beiden Händen die Augen und erschauert.

George, wie erschrocken: »Was haben Sie?«

Henny Porten tut die Hände von den Augen: »Ach nichts!«

George will nach der Tasse greifen, die Stroheim inzwischen abgestellt hat, aber der verschiebt sie ganz leicht, und George zieht die Hand zurück. Das wiederholen sie noch mehrere Male, beide mit großer Geduld.

Henny Porten unterbricht das Spiel und sagt feindselig zu George: »Wer sind Sie?«

George steht schnell auf und stellt sich wie zu einer Aufnahme hinter den Tisch in Pose.

Henny Porten: »Jetzt erinnere ich mich! Sie sind der Verkäufer. Sie haben mir die –«

Sie legt die Reitgerte auf den Tisch. Sie verspricht sich:

»Was kostet das?«

George: »Reitgerte.«

Henny Porten: »Ja, das wollte ich auch fragen. Sie haben mir die Reitgerte verkauft.«

George setzt sich, sie legt sich wieder die Hände aufs Gesicht und erschauert.

Sie schiebt die Reitgerte von sich weg.

Jannings: »Gefällt sie Ihnen nicht mehr?«

Henny Porten: »Nein, ich habe sie nur weggeschoben!«

Jannings mit verstellter Stimme: »Die *Reitgerte* auf dem Tisch, das bedeutet: jemand, der dir am nächsten ist, wird im Moor versinken, und du wirst dabei stehen und langsam die Hände über dem Kopf zusammenschlagen!«

Er lacht mit fremder Stimme.

Henny Porten erhebt sich schnell und stößt dabei die Gitarre vom Tisch.

Jannings mit verstellter Stimme:

»Eine GITARRE fällt vom Tisch, das bedeutet: Hüte, die bei der nächsten Bergwanderung in Gletscherspalten torkeln.«

Er lacht mit fremder Stimme.

Stroheim zu Henny Porten, die bewegungslos dasteht: »Sie wollen gehen?«

Henny Porten setzt sich: »Nein, ich bin nur aufgestanden.«

Sie kreuzt plötzlich die Arme über der Brust und zieht die Schultern zusammen.

George: »Ist Ihnen kalt?«

Henny Porten läßt die Arme fallen: »Nein.«

Zu Stroheim: »Und wer sind *Sie*?«

Stroheim hebt die Gitarre auf und hält sie wie früher.

Henny Porten, zärtlich: »Ach, Sie sind's!«

Sie wird sofort wieder ernst.

Stroheim: »Ist Ihnen etwas eingefallen?«

Hilflos versucht sie ihn wieder zärtlich anzuschauen, bricht ab, greift nach einer Zigarre.

George: »Sie sind unruhig?«

Henny Porten legt die Zigarre zurück.

Ruhig sagt sie: »Nein, ich wollte mir nur eine Zigarre nehmen.«

Plötzlich SCHREIT sie: »Ich wollte mir nur eine Zigarre nehmen!«

George fährt zusammen, zieht sich die Jacke über den Kopf, als wollte er sich vor dem Regen schützen, und bleibt so hocken.

Henny Porten SCHREIT: »Ich wollte mir nur eine Zigarre nehmen! ICH WOLLTE MIR NUR EINE ZIGARRE NEHMEN!«

Alle ducken sich immer mehr zusammen.

Jetzt hört man hinter der Bühne ein Geräusch wie ein hohes, jämmerliches Geheul.

Von dem Geheul wird es ein wenig dunkler auf der Bühne.

Henny Porten bricht sofort ab und duckt sich auch zusammen.

Die schwarz geschminkte FRAU MIT DEM KOPFTUCH tritt rasch von der Seite auf und geht, ohne jemanden anzuschauen, zu der zweiten Tapetentür.

Als sie die Tür aufmacht, wird es dahinter sofort still.

Man hört dafür das RASCHELN einer Zeitung, die innen vor der Tür lag.

Die Frau geht hinein und kehrt mit einer großen PUPPE zurück, die ein Kind darstellt.

Das Kind ist jetzt ruhig. Es hat Schluckauf.

Es trägt ein golden besticktes weißes Nachthemd und sieht sehr lebensecht aus. Der Mund ist übergroß und offen.

Als die Frau mit dem Kind mitten auf der Bühne ist, fängt es, ohne eigentlich anzufangen, furchtbar zu heulen an.

George, die Jacke über dem Kopf, springt schnell zur Kommode und schiebt die Lade zu.

Das Geheul bricht sofort ab.

Die Frau trägt das Kind jetzt von einem zum andern, sehr rasch, und im Vorbeigehen und kurzen Anhalten greift es nach den Brüsten der Frauen und zwischen die Beine der Männer. Ganz schnell wischt es auch alle Sachen herunter, die auf dem Tisch liegen, zieht das Spitzentischtuch weg und läßt es fallen.

Als die Frau mit ihm NEBEN Elisabeth Bergner steht, die noch immer zu schlafen scheint, heult es von neuem, so plötzlich, als hätte es gar nicht aufgehört.

Die Frau hält es so, daß es Elisabeth Bergner VON VORNE sieht. Es verstummt sofort und wird weggetragen.

Die Frau kommt allein zurück, schließt die Tapetentür und geht seitlich ab.

Als sie weg ist, sitzen alle regungslos.

Einer versucht, nach etwas zu greifen, hält schon im Ansatz der Bewegung inne.

Ein andrer versucht eine Geste, die sofort verkümmert.

Ein andrer will ihm mit einer Geste antworten, bricht sie mit einem Zucken ab.

Sie hocken da, setzen gleichzeitig zu etwas an; einer versucht vergeblich, die Hand aus der Tasche zu ziehen; ein, zwei öffnen sogar den Mund – ein paar Laute, dann erstarren alle wieder und ziehen sich zusammen, machen sich ganz klein, wie erfrierend.

Nur Elisabeth Bergner sitzt die ganze Zeit unbewegt, mit geschlossenen Augen.

Auf einmal, wie wenn sie Erwachen spielte, regt sie sich leicht.

Die andern schauen nach und nach zu ihr hin.

Stroheim steht auf und beugt sich zu ihr.

Sie regt sich wieder.

Alle andern sind bewegungslos.

Sie schlägt die Augen auf und erkennt Stroheim: sie fängt zu lächeln an.

Die Bühne wird dunkel.

Von Peter Handke erschienen im Suhrkamp Verlag

Die Hornissen, *Roman*
1966. 278 Seiten. Leinen

Publikumsbeschimpfung und andere Sprechstücke
1966. *edition suhrkamp 177*

Der Hausierer. *Roman*
1967. 204 Seiten Engl. Broschur

Kaspar. *Stück*
1968. *edition suhrkamp 322*

Die Innenwelt der Außenwelt der Innenwelt
1969. *edition suhrkamp 307*

Prosa, Gedichte, Theaterstücke, Hörspiel, Aufsätze
(Bücher der Neunzehn) 1969. 352 Seiten. Leinen

Wind und Meer. *Hörspiele*
1970. *edition suhrkamp 431*

Die Angst des Tormanns beim Elfmeter. *Erzählung*
1970. 128 Seiten. Engl. Broschur

Der Ritt über den Bodensee. *Stück*
1971. *edition suhrkamp 509*

Chronik der laufenden Ereignisse. *Filmbuch*
1971. *suhrkamp taschenbuch 3*

Der kurze Brief zum langen Abschied. *Roman*
1972, 195 Seiten. Engl. Broschur

Stücke 1
1972. *suhrkamp taschenbuch 43*

Über Peter Handke
Herausgegeben von Michael Scharang
edition suhrkamp 518 (September 1972)

Theaterstücke in der edition suhrkamp

Beckett, Fin de Partie · Endspiel 96
Beckett, Warten auf Godot 3
Bernhard, Ein Fest für Boris 440
Bond, Gerettet 461
Bond, Schmaler Weg in den tiefen Norden 350
Brecht, Aufstieg und Fall der Stadt Mahagonny 21
Brecht, Baal · Drei Fassungen 170
Brecht, Der aufhaltsame Aufstieg des Arturo Ui 144
Brecht, Der Brotladen · Stückfragment 339
Brecht, Der gute Mensch von Sezuan 73
Brecht, Der kaukasische Kreidekreis 31
Brecht, Die Dreigroschenoper 229
Brecht, Die Gesichte der Simone Machard 369
Brecht, Die heilige Johanna der Schlachthöfe 113
Brecht, Die Maßnahme 415
Brecht, Die Tage der Commune 169
Brecht, Furcht und Elend des Dritten Reiches 392
Brecht, Herr Puntila und sein Knecht Matti 105
Brecht, Leben des Galilei 1
Brecht, Mann ist Mann 259
Brecht, Mutter Courage und ihre Kinder 49
Brecht, Schweyk im zweiten Weltkrieg 132
Dorst, Toller 294
Eliot, Der Familientag 152
Eliot, Ein verdienter Staatsmann 69
Eliot, Mord im Dom 8
Fassbinder, Antiteater 443
Fassbinder, Antiteater 2 560
Frisch, Biedermann und die Brandstifter 41
Frisch, Die Chinesische Mauer 65
Frisch, Don Juan oder Die Liebe zur Geometrie 4
Frisch, Frühe Stücke · Santa Cruz · Nun singen sie wieder 154
Frisch, Graf Öderland 32
Hacks, Der Frieden · Die Kindsmörderin 47

Handke, Kaspar 322
Handke, Publikumsbeschimpfung und andere Sprechstücke 177
Handke, Der Ritt über den Bodensee 509
Hildesheimer, Die Verspätung 13
Hildesheimer, Nachtstück 23
Kipphardt, In der Sache J. Robert Oppenheimer 64
Kroetz, Heimarbeit · Hartnäckig · Männersache 473
Kroetz, Stallerhof · Geisterbahn · Lieber Fritz · Wunschkonzert 586
Lange, Der Hundsprozeß · Herakles 260
Lange, Die Gräfin von Rathenow 360
Lange, Marski 107
Michelsen, Stienz · Lappschiess 39
Mueller, Großer Wolf · Halbdeutsch 382
Obaldia, Wind in den Zweigen des Sassafras 159
Poss, Zwei Hühner werden geschlachtet 395
Shaw, Cäsar und Cleopatra 102
Shaw, Die heilige Johanna 127
Waldmann, Atlantis 15
Walser, Der Abstecher · Die Zimmerschlacht 205
Walser, Ein Kinderspiel 400
Walser, Überlebensgroß Herr Krott 55
Weiss, Die Verfolgung und Ermordung Jean Paul Marats 68
Wesker, Die Freunde 420
Wesker, Die Trilogie 215
Wesker, Die Küche 542
Wünsche, Der Unbelehrbare und andere Stücke 56
Wünsche, Jerusalem Jerusalem 183

Bibliothek Suhrkamp

232 Walter Benjamin, Über Literatur
233 Alexander Mitscherlich, Die Idee des Friedens und die menschliche Aggressivität
234 Ernst Bloch, Die Kunst, Schiller zu sprechen und andere literarische Aufsätze
235 Marcel Jouhandeau, Pariser Bilder
236 Theodor W. Adorno, Minima Moralia
237 Andor Endre Gelléri, B. und andere Prosa
238 Wladimir W. Majakowskij, Liebesbriefe an Lilja
239 Marcel Proust, Briefwechsel mit der Mutter
240 James Joyce, Giacomo Joyce
241 Djuna Barnes, Antiphon
242 Bertolt Brecht, Schriften zur Politik
243 Thomas Mann, Politische Essays
244 Hermann Hesse, Politische Betrachtungen
245 Hermann Broch, Gedanken zur Politik
246 Alexander Mitscherlich, Versuch, die Welt besser zu bestehen. Fünf Plädoyers in Sachen Psychoanalyse
247 Ödön von Horváth, Geschichten aus dem Wiener Wald
249 Wsewolod Iwanow, Panzerzug 14–69. *Erzählung*
250 Ludwig Wittgenstein, Über Gewißheit
251 Walter Benjamin, Berliner Chronik
252 Hans Kudszus, Jaworte, Neinworte. *Aphorismen*
253 James Joyce, Anna Livia Plurabelle
254 Samuel Beckett, Residua. *Neue Prosadichtungen in drei Sprachen*
255 Peter Weiss, Trotzki im Exil. *Stück in zwei Akten*
256 Bertolt Brecht, Die Bibel und andere frühe Einakter
257 Walter Benjamin, Charles Baudelaire: Gedichte
258 Konrad Bayer, Der Kopf des Vitus Bering
260 Theodor W. Adorno, Über Walter Benjamin
261 Max Frisch, Tagebuch 1946–1949
262 Karl Krolow, Nichts weiter als Leben. *Neue Gedichte*
263 Gershom Scholem, Judaica 2. *Essays*
264 Paul Celan, Ausgewählte Gedichte
265 Jürgen Habermas, Philosophisch-politische Profile
266 Wiesław Brudziński, Die rote Katz. *Aphorismen*
267 Marcel Proust, Eine Liebe zu Swann
269 H. C. Artmann, Von denen Husaren
270 Hans Erich Nossack, Dem unbekannten Sieger. *Roman*

271 Jean-Pierre Jouve, Paulina 1880. *Roman*
272 Thomas Bernhard, Midland in Stilfs. *Erzählungen*
273 Yasushi Inoue, Der Stierkampf. *Roman*
274 Juri Kasakow, Larifari. *Erzählungen*
275 Robert Minder, Wozu Literatur? *Reden und Essays*
276 Nelly Sachs, Verzauberung. *Szenische Dichtungen*
277 Samuel Beckett, Premier amour. Erste Liebe
278 Gertrude Stein, Erzählen. *Vier Reden*
279 Ezra Pound, Wort und Weise – motz el son. *Essays*
280 James Joyce, Briefe an Nora
281 Wolfgang Hildesheimer, Zeiten in Cornwall
282 Andrej Platanov, Die Baugrube. *Erzählung*
283 Jaroslav Hašek, Partei des maßvollen Fortschritts. *Satiren*
284 Hans Mayer, Brecht in der Geschichte. *Drei Versuche*
285 Ödön von Horváth, Von Spießern, Kleinbürgern und Angestellten
286 André Maurois, Auf den Spuren von Marcel Proust
287 Bertolt Brecht, Über Klassiker. *Betrachtungen*
288 Jiří Kolář, Das sprechende Bild
289 Alfred Döblin, Die beiden Freundinnen und ihr Giftmord
290 Alexander Block, Der Sturz des Zarenreichs
292 Ludwig Hohl, Nächtlicher Weg. *Erzählungen*
293 Djuna Barnes, Nachtgewächs. *Roman*
294 Paul Valéry, Windstriche
295 Bernard Shaw, Die heilige Johanna
296 Hermann Kasack, Die Stadt hinter dem Strom
297 Peter Weiss, Hölderlin. *Stück in zwei Akten*
298 Henri Michaux, Turbulenz im Unendlichen
299 Boris Pasternak, Initialen der Leidenschaft. *Gedichte*
300 Hermann Hesse, Mein Glaube. *Eine Dokumentation*
301 Italo Svevo, Ein Mann wird älter
302 Siegfried Kracauer, Über die Freundschaft. *Essay*
303 Samuel Beckett, Le dépeupleur. Der Verwaiser
305 Ramón José Sender, Der König und die Königin
306 Hermann Broch, James Joyce und die Gegenwart. *Essay*
307 Sigmund Freud, Briefe
309 Bernard Shaw, Handbuch des Revolutionärs
310 Adolf Nowaczyński, Der schwarze Kauz
311 Donald Barthelme, City Life
312 Günter Eich, Gesammelte Maulwürfe
313 James Joyce, Kritische Schriften
314 Oscar Wilde, Das Bildnis des Dorian Gray
315 Tschingis Aitmatow, Dshamilja
316 Ödön von Horváth, Kasimir und Karoline

407 Über Martin Walser. Herausgegeben von Thomas Beckermann
408 Über Peter Weiss. Herausgegeben von Volker Canaris
409 Leonard Michaels, Loszittern. *Geschichten*
410 KRIWET, Apollo Amerika
411 Dankwart Danckwerts / Hermann Pfütze / Norbert Lechner / Rüdiger Stiebitz, Die Sozialwissenschaften in der Strategie der Entwicklungspolitik
412 Rudolf Kuda, Arbeiterkontrolle in Großbritannien. Theorie u. Praxis
413 Ernst Bloch, Über Methode und System bei Hegel
414 Gershom Scholem, Über einige Grundbegriffe des Judentums
415 Bertolt Brecht, Die Maßnahme
416 Věra Linhartová, Haus weit
417 Lutz Winckler, Studie zur gesellschaftlichen Funktion faschistischer Sprache
418 Hans Robert Jauß, Literaturgeschichte als Provokation
419 Tilmann Moser, Repressive Kriminalpsychiatrie
420 Arnold Wesker, Die Freunde. *Stück in zwei Akten*
421 Héctor Béjar Rivera, Peru 1965. Aufzeichnungen eines Guerilla-Aufstands
423 Walter Aue, Blaiberg oh Blaiberg
424 Straßentheater. Herausgegeben von Agnes Hüfner
425 Erich Fromm, Analytische Sozialpsychologie und Gesellschaftstheorie
426 Paul M. Sweezy / Leo Huberman, Sozialismus in Kuba
427 Bertolt Brecht, Die heilige Johanna der Schlachthöfe. Bühnenfassung, Fragmente, Varianten
430 Marx und die Revolution. Mit Beiträgen von Bloch / Marcuse / Habermas / Fischer / Künzli / Fetscher / Marković / Tadić / Fromm
431 Peter Handke, Wind und Meer. Hörspiele
433 Paul M. Sweezy, Theorie der kapitalistischen Entwicklung
434 Charles Bloch, Die SA und die Krise des NS-Regimes 1934
436 Materialien zu Ödön von Horváth. Herausgegeben von Traugott Krischke
437 Joachim Hirsch, Wissenschaftlich-technischer Fortschritt und politisches System. Organisation und Grundlagen administrativer Wissenschaftsförderung in der BRD
438 Black Power. Dokumente und Analysen. Herausgegeben von Gerhard Amendt
439 Herbert Achternbusch, Die Macht des Löwengebrülls

440 Thomas Bernhard, Ein Fest für Boris
441 Aktualität und Folgen der Philosophie Hegels. Herausgegeben von Oskar Negt
442 Bertolt Brecht, Über Politik und Kunst
443 Rainer Werner Fassbinder, Antiteater. Katzelmacher / Preparadise sorry now / Die Bettleroper (nach John Gay)
444 Peter Weiss, Rapporte 2
445 H. E. Nossack, Pseudoautobiographische Glossen
447 Bertrand Russell, Wege zur Freiheit. Sozialismus, Anarchismus, Syndikalismus
448 Gennadij Ajgi, Beginn der Lichtung. *Gedichte*
450 Helge Pross / Karl W. Boetticher, Manager des Kapitalismus
451 Wolfgang Lempert, Leistungsprinzip und Emanzipation
452 G. F. Jonke, Die Vermehrung der Leuchttürme
453 Matthias Hartig / Ursula Kurz, Sprache als soziale Kontrolle
454 Psychoanalyse als Sozialwissenschaft. Mit Beiträgen von Lorenzer / Dahmer / Horn / Brede / Schwanenberg
455 Ernst Bloch, Pädagogica
456 Wilhelm Alff, Der Begriff Faschismus und andere Aufsätze zur Zeitgeschichte
457 Juan Maestre Alfonso, Guatemala
458 Alfred Behrens, Gesellschaftsausweis. SocialScienceFiction
459 Goethe u. a., Torquato Tasso. Regiebuch der Bremer Inszenierung
461 Edward Bond, Gerettet. Die Hochzeit des Papstes. *Zwei Stücke*
462 Peter Ronild, Die Körper. *Roman*
463 Hans Mayer, Der Repräsentant und der Märtyrer. Konstellationen der Literatur
464 Michael Kidron, Rüstung und wirtschaftliches Wachstum. Ein Essay über den westlichen Kapitalismus nach 1945
465 Bertolt Brecht, Über Politik auf dem Theater
466 Dietlind Eckensberger, Sozialisationsbedingungen der öffentlichen Erziehung
467 Doris von Freyberg / Thomas von Freyberg, Zur Kritik der Sexualerziehung
468 Walter Benjamin, Drei Hörmodelle
469 Theodor W. Adorno, Kritik. Kleine Schriften zur Gesellschaft
470 Gert Loschütz, Gegenstände. *Gedichte und Prosa*
472 Wlodzimierz Brus, Funktionsprobleme der sozialistischen Wirtschaft
473 Franz Kroetz, Heimarbeit / Hartnäckig / Männersache. *Drei Stücke*
474 Vlado Kristl, Sekundenfilme
476 Neues Hörspiel. Essays, Analysen, Gespräche. Herausgegeben von Klaus Schöning

477 Tom Hayden, Der Prozeß von Chicago
478 Kritische Friedensforschung. Herausgegeben von Dieter Senghaas
479 Erika Runge, Reise nach Rostock, DDR
480 Joachim Hirsch / Stephan Leibfried, Materialien zur Wissenschafts- und Bildungspolitik
481 Jürgen Habermas, Zur Logik der Sozialwissenschaften. Materialien
482 Noam Chomsky, Die Verantwortlichkeit der Intellektuellen
483 Hellmut Becker, Bildungsforschung und Bildungsplanung
484 Heine Schoof, Erklärung
485 Bertolt Brecht, Über Realismus
487 Eberhard Schmidt, Ordnungsfaktor oder Gegenmacht. Die politische Rolle der Gewerkschaften
488 Über Wolfgang Hildesheimer. Herausgegeben von Dierk Rodewald
489 Hans Günter Michelsen, Drei Hörspiele
490 Bertolt Brecht, Trommeln in der Nacht. *Komödie*
491 Eva Hesse, Beckett. Eliot. Pound. *Drei Textanalysen*
492 Gunnar Myrdal, Aufsätze und Reden
494 Orlando Araujo, Venezuela
495 Über Paul Celan. Herausgegeben von Dietlind Meinecke
496 Walter Schäfer / Wolfgang Edelstein / Gerold Becker, Probleme der Schule im gesellschaftlichen Wandel. Das Beispiel Odenwaldschule
497 David Cooper, Psychiatrie und Anti-Psychiatrie
498 Dieter Senghaas, Rüstung und Militarismus
499 Ronald D. Laing / H. Phillipson / R. A. Lee, Interpersonelle Wahrnehmung
502 Wolfgang Emmerich, Zur Kritik der Volkstumsideologie
503 Anouar Abdel-Malek, Ägypten: Militärgesellschaft. Das Armeeregime, die Linke und der soziale Wandel unter Nasser
504 G. F. Jonke, Glaushausbesichtigung
506 Heberto Padilla, Außerhalb des Spiels. *Gedichte*
507 Manuela du Bois-Reymond, Strategien kompensatorischer Erziehung
508 Gunnar Myrdal, Objektivität in der Sozialforschung
509 Peter Handke, Der Ritt über den Bodensee
510 Dieter Henrich, Hegel im Kontext
511 Lehrlingsprotokolle. Herausgegeben von Klaus Tscheliesnig. Vorwort von Günter Wallraff
512 Ror Wolf, mein famili. Mit Collagen des Autors
513 Wolfgang Fritz Haug, Kritik der Warenästhetik
514 Gefesselte Jugend. Fürsorgeerziehung im Kapitalismus
515 Fritz J. Raddatz, Verwerfungen
516 Wolfgang Lefèvre, Zum historischen Charakter und zur historischen Funktion der Methode bürgerlicher Soziologie

517 Bertolt Brecht, Die Mutter. Regiebuch der Schaubühnen-Inszenierung. Herausgegeben von Volker Canaris
519 Ulrich Oevermann, Sprache und soziale Herkunft
520 Melchior Schedler, Kindertheater
522 Urs Jaeggi, Literatur und Politik
523 Ulrich Rödel, Forschungsprioritäten und technologische Entwicklung
524 Melanie Jaric, Geh mir aus der Sonne. *Prosa*
525 Peter Bürger, Studien zur französischen Frühaufklärung
526 Herbert Brödl, fingerabdrücke. Schrottplatztexte
527 Über Karl Krolow. Herausgegeben von Walter Helmut Fritz
528 Ursula Schumm-Garling, Herrschaft in der industriellen Arbeitsorganisation
530 Eduard Parow, Psychotisches Verhalten
531 Dieter Kühn, Grenzen des Widerstands
533 Materialien zu Ödön von Horváths Geschichten aus dem Wienerwald
534 Ernst Bloch, Aufsätze 1934–1939
535 Heinz-Joachim Heydorn, Zu einer Neufassung des Bildungsbegriffs
536 Brigitte Eckstein, Hochschuldidaktik
537 Franco Basaglia, Die abweichende Mehrheit
539 Gastarbeiter. Herausgegeben von Ernst Klee
540 Thomas Krämer-Badoni / Herbert Grymer / Marianne Rodenstein, Zur sozio-ökonomischen Bedeutung des Automobils
542 Arnold Wesker, Die Küche
543 Detlef Kantowsky, Indien
544 Peter Hacks, Das Poetische
546 Frauen gegen den § 218. 18 Protokolle, aufgezeichnet von Alice Schwarzer
547 Wlodzimierz Brus, Wirtschaftsplanung. Für ein Konzept der politischen Ökonomie
548 Otto Kirchheimer, Funktionen des Staats und der Verfassung
550 Manfred Clemenz, Zur Entstehung des Faschismus
551 Herbert Achternbusch, L'Etat c'est moi
553 Hans Magnus Enzensberger, Das Verhör von Habana
555 Alfred Sohn-Rethel, Geistige und körperliche Arbeit
556 Becker / Jungblut, Strategien der Bildungsproduktion
557 Karsten Witte, Theorie des Kinos
560 Rainer Werner Fassbinder, Antiteater 2
562 Margaret Wirth, Kapitalismustheorie in der DDR
577 Prosper Lissagaray, Geschichte der Commune von 1871
586 Franz Xaver Kroetz, Neue Stücke
587 Johann Most, Kapital und Arbeit. Herausgegeben von Hans Magnus Enzensberger

Alphabetisches Verzeichnis der edition suhrkamp

Abdel-Malek, Ägypten 503
Abendroth, Sozialgeschichte 106
Achternbusch, Löwengebrüll 439
Achternbusch, L'Etat c'est moi 551
Adam, Südafrika 343
Adorno, Drei Studien zu Hegel 38
Adorno, Eingriffe 10
Adorno, Impromptus 267
Adorno, Kritik 469
Adorno, Jargon der Eigentlichkeit 91
Adorno, Moments musicaux 54
Adorno, Ohne Leitbild 201
Adorno, Stichworte 347
Über Theodor W. Adorno 249
Aggression und Anpassung 282
Ajgi, Beginn der Lichtung 448
Alff, Der Begriff Faschismus 465
Alfonso, Guatemala 457
Andersch, Die Blindheit 133
Antworten auf H. Marcuse 263
Araujo, Venezuela 494
Architektur als Ideologie 243
Artmann, Frankenstein/Fleiß 320
Aue, Blaiberg 423
Augstein, Meinungen 214
Baczko, Weltanschauung 306
Baran, Unterdrückung 179
Baran, Zur politisch. Ökonomie 277
Barthelme, Dr. Caligari 371
Barthes, Mythen des Alltags 92
Barthes, Kritik und Wahrheit 218
Barthes, Literatur 303
Basaglia, Die abweichende Mehrheit 537
Basso, Theorie d. polit. Konflikts 308
Baudelaire, Tableaux Parisiens 34
Baumgart, Literatur f. Zeitgen. 186
Becker, Bildungsforschung 483
Becker, Felder 61
Becker, Ränder 351
Becker / Jungblut, Strategien der Bildungsproduktion 556
Beckett, Aus einem Werk 145
Beckett, Fin de partie · Endspiel 96
Materialien zum ›Endspiel‹ 286
Beckett, Das letzte Band 389
Beckett, Warten auf Godot 3
Behrens, Gesellschaftsausweis 458
Beiträge zur Erkenntnistheorie 349
Benjamin, Hörmodelle 468
Benjamin, Das Kunstwerk 28
Benjamin, Über Kinder 391
Benjamin, Kritik der Gewalt 103
Benjamin, Städtebilder 17
Benjamin, Versuche über Brecht 172
Über Walter Benjamin 250
Bentmann/Müller, Villa 396
Bergman, Wilde Erdbeeren 79
Bernhard, Amras 142
Bernhard, Fest für Boris 440
Bernhard, Prosa 213
Bernhard, Ungenach 279
Bernhard, Watten 353
Über Thomas Bernhard 401
Bertaux, Hölderlin 344
Black Power 438
Ch. Bloch, Die SA 434
Bloch, Aufsätze 1934–1939 534
Bloch, Avicenna 22
Bloch, Christian Thomasius 193
Bloch, Durch die Wüste 74
Bloch, Hegel 413
Bloch, Pädagogica 455
Bloch, Tübinger Einleitung I 11
Bloch, Tübinger Einleitung II 58
Bloch, Über Karl Marx 291
Bloch, Widerstand und Friede 257
Über Ernst Bloch 251
Block, Ausgewählte Aufsätze 71
Blumenberg, Wende 138
Boavida, Angola 366
Bødker, Zustand Harley 309
Böhme, Soz.- u. Wirtschaftsgesch. 253
Bond, Gerettet. Hochzeit 461
Bond, Schmaler Weg 350
Brandys, Granada 167
Braun, Gedichte 397
Brecht, Antigone / Materialien 134
Brecht, Arturo Ui 144
Brecht, Ausgewählte Gedichte 86
Brecht, Baal 170
Brecht, Baal der asoziale 248
Brecht, Brotladen 339
Brecht, Der gute Mensch 73
Materialien zu ›Der gute Mensch‹ 247
Brecht, Die Dreigroschenoper 229
Brecht, Die heilige Johanna 113

Brecht, Die heilige Johanna /
Fragmente und Varianten 427
Brecht, Die Maßnahme 415
Brecht, Die Tage der Commune 169
Brecht, Furcht und Elend 392
Brecht, Gedichte aus Stücken 9
Brecht, Herr Puntila 105
Brecht, Im Dickicht 246
Brecht, Jasager – Neinsager 171
Brecht, Julius Caesar 332
Brecht, Kaukasischer Kreidekreis 31
Materialien zum ›Kreidekreis‹ 155
Brecht, Kuhle Wampe 362
Brecht, Leben des Galilei 1
Materialien zu Brechts ›Galilei‹ 44
Brecht, Leben Eduards II. 245
Brecht, Mahagonny 21
Brecht, Mann ist Mann 259
Brecht, Mutter Courage 49
Materialien zu Brechts ›Courage‹ 50
Materialien zu ›Die Mutter‹ 305
Brecht, Die Mutter. Regiebuch 517
Brecht, Realismus 485
Brecht, Schauspieler 384
Brecht, Schweyk 132
Brecht, Simone Machard 369
Brecht, Politik 442
Brecht, Theater 377
Brecht, Trommeln in der Nacht 490
Brecht, Über Lyrik 70
Broch, Universitätsreform 301
Brödl, fingerabdrücke 526
Brooks, Paradoxie im Gedicht 124
Brudziński, Katzenjammer 162
Brus, Funktionsprobleme 472
Brus, Wirtschaftsplanung 547
Bürger, Franz. Frühaufklärung 525
Burke, Dichtung 153
Burke, Rhetorik 231
Cabral de Melo Neto, Gedichte 295
Carr, Neue Gesellschaft 281
Celan, Ausgewählte Gedichte 262
Über Paul Celan 495
Chomsky, Verantwortlichkeit 482
Clemenz, Zur Entstehung des
Faschismus 550
Cooper, Psychiatrie 497
Córdova/Michelena, Lateinam. 311
Ćosić, Wie unsere Klaviere 289
Creeley, Gedichte 227
Crnčević, Staatsexamen 192
Crnjanski, Ithaka 208
Dalmas, schreiben 104
Davičo, Gedichte 136
Deutsche und Juden 196
Di Benedetto, Stille 242
Dobb, Organis. Kapitalismus 166
Dorst, Toller 294
du Bois-Reymond, Strategien kompens.
Erziehung 507
Dunn, Battersea 254
Duras, Ganze Tage in Bäumen 80
Duras, Hiroshima mon amour 26
Eckensberger, Sozialisationsbedin-
gungen 466
Eckstein, Hochschuldidaktik 536
Eich, Abgelegene Gehöfte 288
Eich, Botschaften des Regens 48
Eich, Mädchen aus Viterbo 60
Eich, Setúbal. Lazertis 5
Eich, Unter Wasser 89
Über Günter Eich 402
Eichenbaum, Aufsätze 119
Eliot, Die Cocktail Party 98
Eliot, Der Familientag 152
Eliot, Mord im Dom 8
Eliot, Staatsmann 69
Eliot, Was ist ein Klassiker? 33
Emmerich, Volkstumsideologie 502
Enzensberger, Blindenschrift 217
Enzensberger, Deutschland 203
Enzensberger, Einzelheiten I 63
Enzensberger, Einzelheiten II 87
Enzensberger, Gedichte 20
Enzensberger, Landessprache 304
Enzensberger, Das Verhör von
Habana 553
Über H. M. Enzensberger 403
Eschenburg, Über Autorität 129
Existentialismus und Marxismus 116
Fanon, Algerische Revolution 337
Fassbinder, Antiteater 443
Fassbinder, Antiteater 2 560
Filho, Corpo vivo 158
Fleischer, Marxismus 323
Folgen einer Theorie 226
Formalismus 191
Foucault, Psychologie 272
Frauen gegen den § 218 546
Franzen, Aufklärungen 66
Freeman/Cameron/McGhie, Schizo-
phrenie 346
Freyberg, Sexualerziehung 467
Frisch, Ausgewählte Prosa 36
Frisch, Biedermann 41
Frisch, Chinesische Mauer 65
Frisch, Don Juan 4
Frisch, Stücke 154

Frisch, Graf Öderland 32
Frisch, Öffentlichkeit 209
Frisch, Zürich – Transit 161
Über Max Frisch 404
Fromm, Sozialpsychologie 425
Gäng / Reiche, Revolution 228
Gastarbeiter 539
Gefesselte Jugend 514
Germanistik 204
Goeschel / Heyer / Schmidbauer, Soziologie d. Polizei 1 380
Goethe, Tasso. Regiebuch 459
Grass, Hochwasser 40
Gravenhorst, Soz. Kontrolle 368
Grote, Alles ist schön 274
Gründgens, Theater 46
Guérin, Am. Arbeiterbewegung 372
Guérin, Anarchismus 240
Guggenheimer, Alles Theater 150
Haavikko, Jahre 115
Habermas, Logik d. Soz. Wissensch. 481
Habermas, Protestbewegung 354
Habermas, Technik u. Wissenschaft 287
Hacks, Das Poetische 544
Hacks, Stücke nach Stücken 122
Hacks, Zwei Bearbeitungen 47
Hamelink, Horror vacui 221
Handke, Die Innenwelt 307
Handke, Kaspar 322
Handke, Publikumsbeschimpfung 177
Handke, Wind und Meer 431
Handke, Der Ritt üb. d. Bodensee 509
Hannover, Rosa Luxemburg 233
Hartig/Kurz, Sprache 453
Haug, Antifaschismus 236
Haug, Kritik d. Warenästhetik 513
Hayden, Prozeß von Chicago 477
Philosophie Hegels 441
Heller, Nietzsche 67
Heller, Studien zur Literatur 42
Henrich, Hegel 510
Herbert, Ein Barbar 1 111
Herbert, Ein Barbar 2 365
Herbert, Gedichte 88
E. Hesse, Beckett. Eliot. Pound 491
Hesse, Geheimnisse 52
Hesse, Späte Prosa 2
Hesse, Tractat vom Steppenwolf 84
Heydorn, Neufassung des Bildungsbegriffs 535
Hildesheimer, Das Opfer Helena 118
Hildesheimer, Die Verspätung 13
Hildesheimer, Interpretationen 297
Hildesheimer, Mozart/ Beckett 190
Hildesheimer, Nachtstück 23
Hildesheimer, Walsers Raben 77
Über Wolfgang Hildesheimer 488
Hirsch, Wiss.-tech. Fortschritt 437
Hirsch/Leibfried, Bildungspolitik 480
Hochman/Sonntag, Camilo Torres 363
Hobsbawm, Industrie 1 315
Hobsbawm, Industrie 2 316
Hofmann, Abschied 399
Hofmann, Stalinismus 222
Hofmann, Universität, Ideologie 261
Höllerer, Gedichte 83
Horlemann/Gäng, Vietnam 173
Horlemann, Konterrevolution 255
Horn, Dressur oder Erziehung 199
Hortleder, Ingenieur 394
Materialien zu Ödön von Horváth 436
Materialien zu Ödön von Horváths Geschichten aus dem Wienerwald 533
Hrabal, Die Bafler 180
Hrabal, Tanzstunden 126
Hrabal, Zuglauf überwacht 256
Hüfner, Straßentheater 424
Huffschmid, Politik des Kapitals 313
Huppert, Majakowskij 182
Hyry, Erzählungen 137
Institutionen in prim. Gesellsch. 195
Jaeggi, Literatur u. Politik 522
Jakobson, Kindersprache 330
Janker, Aufenthalte 198
Jaric, Geh mir aus der Sonne 524
Jauß, Literaturgeschichte 418
Jedlička, Unterwegs 328
Jensen, Epp 206
Johnson, Das dritte Buch 100
Johnson, Karsch 59
Über Uwe Johnson 405
Jonke, Glashausbesichtigung 504
Jonke, Leuchttürme 452
Joyce, Dubliner Tagebuch 216
Materialien zu Joyces Dubliner 357
Jugendkriminalität 325
Juhász, Gedichte 168
Kalivoda, Marxismus 373
Kantowsky, Indien 543
Kasack, Das unbekannte Ziel 35
Kaschnitz, Beschreibung 188
Kidron, Rüstung und wirtschaftl. Wachstum 464
Kipphardt, Hund des Generals 14
Kipphardt, Joel Brand 139
Kipphardt, Oppenheimer 64
Kipphardt, Die Soldaten 273
Kirchheimer, Polit. Herrschaft 220

Kirchheimer, Politik u. Verfassung 95
Kirchheimer, Funktionen des Staats 548
Kleemann, Studentenopposition 381
Kolko, Besitz und Macht 239
Kovač, Schwester Elida 238
Kracauer, Straßen von Berlin 72
Krämer-Badoni/Grymer/Rodenstein, Bedeutung des Automobils 540
Krasiński, Karren 388
Kritische Friedensforschung 478
Kristl, Sekundenfilme 474
KRIWET, Apollo Amerika 410
Kroetz, Drei Stücke 473
Kroetz, Neue Stücke 586
Krolow, Ausgewählte Gedichte 24
Krolow, Landschaften für mich 146
Krolow, Schattengefecht 78
Über Karl Krolow 527
Kruuse, Oradour 327
Kuckuk, Räterepublik Bremen 367
Kuda, Arbeiterkontrolle 412
Kühn, Grenzen des Widerstands 531
Kühnl/Rilling/Sager, Die NPD 318
Lagercrantz, Nelly Sachs 212
Laing, Phänomenologie 314
Laing/Phillipson/Lee, Interpers. Wahrnehmung 499
Lange, Gräfin 360
Lange, Hundsprozeß/Herakles 260
Lange, Marski 107
Lefèbvre, Marxismus 99
Lefèbvre, Materialismus 160
W. Lefèvre, Hist. Charakter bürgerl. Soziologie 516
Lehrlingsprotokolle 511
Leibfried, Angepaßte Universität 265
Lempert, Leistungsprinzip 451
Lenin 383
Lévi-Strauss, Totemismus 128
Liebel/Wellendorf, Schülerselbstbefreiung 336
Linhartová, Diskurs 200
Linhartová, Geschichten 141
Linhartová, Haus weit 416
Lissagaray, Pariser Commune 577
Loewenstein, Antisemitismus 241
Lorenzer, Kritik 393
Loschütz, Gegenstände 470
Majakowskij, Verse 62
Malecki, Spielräume 333
Malerba, Schlange 312
Mándy, Erzählungen 176
Marcuse, Befreiung 329
Marcuse, Kultur u. Gesellschaft I 101
Marcuse, Kultur u. Gesellschaft II 135
Marcuse, Theorie d. Gesellschaft 300
Marković, Dialektik der Praxis 285
Marx und die Revolution 430
Mayer, Anmerkungen zu Brecht 143
Mayer, Anmerkungen zu Wagner 189
Mayer, Das Geschehen 342
Mayer, Radikalismus, Sozialismus 310
Mayer, Repräsentant 463
Mayoux, Über Beckett 157
Meier, ›Demokratie‹ 387
Merleau-Ponty, Humanismus I 147
Merleau-Ponty, Humanismus II 148
Michaels, Loszittern 409
Michel, Sprachlose Intelligenz 270
Michelsen, Drei Akte. Helm 140
Michelsen, Drei Hörspiele 489
Michelsen, Stienz. Lappschiess 39
Michiels, Das Buch Alpha 121
Michiels, Orchis militaris 364
Minder, ›Hölderlin‹ 275
Kritik der Mitbestimmung 358
Mitscherlich, Krankheit I 164
Mitscherlich, Krankheit II 237
Mitscherlich, Unwirtlichkeit 123
Moore, Geschichte der Gewalt 187
Moral und Gesellschaft 290
Moser, Repress. Krim.psychiatrie 419
Moser/Künzel, Gespräche mit Eingeschlossenen 375
Most, Kapital und Arbeit 587
Müller, Philoktet. Herakles 5 163
Mueller, Wolf/Halbdeutsch 382
Münchner Räterepublik 178
Mukařovský, Ästhetik 428
Mukařovský, Poetik 230
Myrdal, Aufsätze u. Reden 492
Myrdal, Objektivität 508
Napoleoni, Ökonom. Theorien 244
Nápravník, Gedichte 376
Nezval, Gedichte 235
Neues Hörspiel 476
Nossack, Das Mal u. a. Erzählungen 97
Nossack, Das Testament 117
Nossack, Der Neugierige 45
Nossack, Der Untergang 19
Nossack, Literatur 156
Nossack, Pseudoautobiograph. Glossen 445
Über Hans Erich Nossack 406
Kritik der Notstandsgesetze 321
Nowakowski, Kopf 225
Obaldia, Wind in den Zweigen 159

Oevermann, Sprache und soziale Herkunft 519
Oglesby/Shaull, Am. Ideologie 341
Olson, Gedichte 112
Ostaijen, Grotesken 202
Padilla, Außerhalb des Spiels 506
Parow, Psychotisches Verhalten 530
Pavlović, Gedichte 268
Penzoldt, Zugänge 6
Pinget, Monsieur Mortin 185
Plädoyer f. d. Abschaff. d. § 175 175
Ponge, Texte zur Kunst 223
Poss, Zwei Hühner 395
Preuß, Studentenschaft 317
Price, Ein langes Leben 120
Pross, Bildungschancen 319
Pross/Boetticher, Manager 450
Proust, Tage des Lesens 37
Psychoanalyse als Sozialwiss. 454
Queneau, Mein Freund Pierrot 76
Queneau, Zazie in der Metro 29
Raddatz, Verwerfungen 515
Rajewsky, Arbeitskampfrecht 361
Recklinghausen, James Joyce 283
Reinshagen, Doppelkopf. Marilyn Monroe 486
Riedel, Hegels Rechtsphilosophie 355
Riesman, Freud 110
Rigauer, Sport und Arbeit 348
Ritter, Hegel 114
Rivera, Peru 421
Robinson, Ökonomie 293
Rödel, Forschungsprioritäten 523
Roehler, Ein angeschw. Mann 165
Romanowiczowa, Der Zug 93
Ronild, Die Körper 462
Rosenberg, Sozialgeschichte 340
Różewicz, Schild a. Spinngeweb 194
Runge, Bottroper Protokolle 271
Runge, Frauen 359
Runge, Reise nach Rostock 479
Russell, Probleme d. Philosophie 207
Russell, Wege zur Freiheit 447
Sachs, Ausgewählte Gedichte 18
Sachs, Das Leiden Israels 51
Sanguineti, Capriccio italiano 284
Sarduy, Bewegungen 266
Sarraute, Schweigen. Lüge 299
Schäfer / Edelstein / Becker, Probleme der Schule 496
Schäfer/Nedelmann, CDU-Staat 370
Schedler, Freispiele 520
Schiller/Heyme, Wallenstein 390
Schklowskij, Schriften zum Film 174
Schklowskij, Zoo 130
Schmidt, Ordnungsfaktor 487
Schneider/Kuda, Arbeiterräte 296
Schnurre, Kassiber/Neue Gedichte 94
Scholem, Judentum 414
Schoof, Erklärung 484
Schram, Die perm. Revolution 151
Schumm-Garling, Herrschaft in der industriellen Arbeitsorganisation 528
Schütze, Rekonstrukt. d. Freiheit 298
Senghaas, Rüstung und Militarismus 498
Shaw, Cäsar und Cleopatra 102
Shaw, Die heilige Johanna 127
Shaw, Der Katechismus 75
Skinas, Fälle 338
Sohn-Rethel, Geistige und körperliche Arbeit 555
Sonnemann, Institutionalismus 280
Sozialwissenschaften 411
Kritik der Soziologie 324
Sternberger, Bürger 224
Kritik der Strafrechtsreform 264
Strindberg, Ein Traumspiel 25
Stütz, Berufspädagogik 398
Sweezy, Theor. d. kap. Entwcklg. 433
Sweezy/Huberman, Sozialismus in Kuba 426
Szondi, Hölderlin-Studien 379
Szondi, Theorie des mod. Dramas 27
Tardieu, Museum 131
Teige, Liquidierung 278
Theologie der Revolution 258
Theorie und Praxis des Streiks 385
Kritik der reinen Toleranz 181
Toulmin, Voraussicht 292
Tschech. Schriftstellerkongreß 326
Tumler, Abschied 57
Tumler, Volterra 108
Tynjanow, Literar. Kunstmittel 197
Válek, Gedichte 334
Verhinderte Demokratie 302
Vossler, Revolution von 1848 210
Vranicki, Mensch und Geschichte 356
Vyskočil, Knochen 211
Waldmann, Atlantis 15
Walser, Abstecher. Zimmerschl. 205
Walser, Heimatkunde 269
Walser, Der Schwarze Schwan 90
Walser, Eiche und Angora 16
Walser, Ein Flugzeug 30
Walser, Kinderspiel 400

Walser, Leseerfahrung 109
Walser, Lügengeschichten 81
Walser, Überlebensgroß Krott 55
Über Martin Walser 407
Weiss, Abschied von den Eltern 85
Weiss, Fluchtpunkt 125
Weiss, Gespräch 7
Weiss, Jean Paul Marat 68
Materialien zu ›Marat/Sade‹ 232
Weiss, Nacht / Mockinpott 345
Weiss, Rapporte 276
Weiss, Rapporte 2 444
Weiss, Schatten des Körpers 53
Über Peter Weiss 408
Wekwerth, Notate 219
Wellek, Konfrontationen 82
Wellmer, Gesellschaftstheorie 335
Wesker, Die Freunde 420
Wesker, Die Küche 542
Wesker, Trilogie 215
Winckler, Studie 417
Wirth, Kapitalismustheorie in der DDR 562
Witte, Theorie des Kinos 557
Wispelaere, So hat es begonnen 149
Wittgenstein, Tractatus 12
Über Ludwig Wittgenstein 252
Wolf, Danke schön 331
Wolf, Fortsetzung des Berichts 378
Wolf, mein famili 512
Wolf, Pilzer und Pelzer 234
Wolff, Liberalismus 352
Wosnessenskij, Dreieckige Birne 43
Wünsche, Der Unbelehrbare 56
Wünsche, Jerusalem 183
Zahn, Amerikan. Zeitgenossen 184